这里是河北

人文毓秀

RENWEN YUXIU

主编 丁伟 徐凡
著 昱然

河北出版传媒集团
花山文艺出版社
方圆电子音像出版社

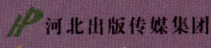

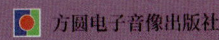

河北·石家庄

图书在版编目（CIP）数据

人文毓秀 / 虽然著. -- 石家庄：花山文艺出版社，2023.12
（"这里是河北"丛书 / 丁伟，徐凡主编）
ISBN 978-7-5511-0514-9

Ⅰ. ①人… Ⅱ. ①虽… Ⅲ. ①散文集－中国－当代 Ⅳ. ①I267

中国国家版本馆CIP数据核字（2023）第195108号

丛 书 名：	"这里是河北"丛书
主　　编：	丁 伟　徐 凡
书　　名：	人文毓秀
著　　者：	虽 然
出 版 人：	郝建国
出版监制：	陆明宇　李 利　唐 丽
出版统筹：	李 彬　王玉晓
责任编辑：	于怀新　王 磊
特约编辑：	蒋海燕　杨玉岭
责任校对：	李 伟
封面设计：	书心瞬意
装帧设计：	李关栋　张 曼
美术编辑：	胡彤亮　王爱芹
出版发行：	花山文艺出版社
	方圆电子音像出版社
销售热线：	0311-88643299/96/17
印　　刷：	保定市正大印刷有限公司
经　　销：	新华书店
开　　本：	710毫米×1000毫米　1/16
印　　张：	12.5
字　　数：	140千字
版　　次：	2023年12月第1版
	2023年12月第1次印刷
书　　号：	ISBN 978-7-5511-0514-9
定　　价：	75.00元

（版权所有　翻印必究·印装有误　负责调换）

目录

融媒体电子书

https://h5.fangyuanpress.com/rw.htm

第一单元
万里长城

壹　绵延千年的长城　　／002

贰　长城精华居河北　　／021

叁　内外融通大境门　　／032

肆　涞源野长城　　／041

第二单元
奇珍异宝

壹　历史的余韵　　／051

贰　金玉传响　　／063

叁　铜铁冶金　　／074

肆　文化的传声筒　　／086

第三单元
传世古建

壹 沧桑的古塔　　/ 096
贰 木头的交响　　/ 108
叁 园林之胜　　　/ 115
肆 装点了山水的古桥　/ 124

第四单元
红色河北

壹 播撒火种　　　/ 136
贰 全民抗战　　　/ 144
叁 燕赵热血　　　/ 152
肆 共和国从这里走来　/ 160
伍 后方支援力量　/ 168

第五单元
冀景撷英

柏林禅寺　　/ 174

姜女庙　　/ 176

丛台公园　　/ 178

英谈古寨　　/ 180

鸡鸣驿　　/ 182

龙泉古镇　　/ 184

广府古城　　/ 186

直隶总督署　　/ 188

娲皇宫　　/ 190

扁鹊庙　　/ 192

扫码听书

扫码看视频

第一单元

万里长城

壹 >> 绵延千年的长城

1. 最古老的长城：中山长城

河北境内已知修筑年代最早的长城——涞源县黄土岭村的战国中山长城，建于两千三百多年前。因为距今太过久远，墙体已坍塌不成墙状，当地人形象地称之为"土龙""龙脊"。

《史记·赵世家》记载，赵成侯六年（前369年），"中山筑长城"。

我们拨开历史的云烟，探究一下中山国为什么要搞如此宏大的工程。

查看古老的地图可知，中山国处在强大的燕、赵之间，为求生存和发展，在今保定的涞源、唐县、顺平和曲阳一带修建了长城。这道长城蜿蜒曲折，北起涞源县，进唐县，过顺平县，再转入唐县，最后进入曲阳县，在蜿蜒山巅和沟谷之间拐来拐去，总长度约八十九千米。

◎ 右页图　保定战国中山长城／河北省文物局　供图

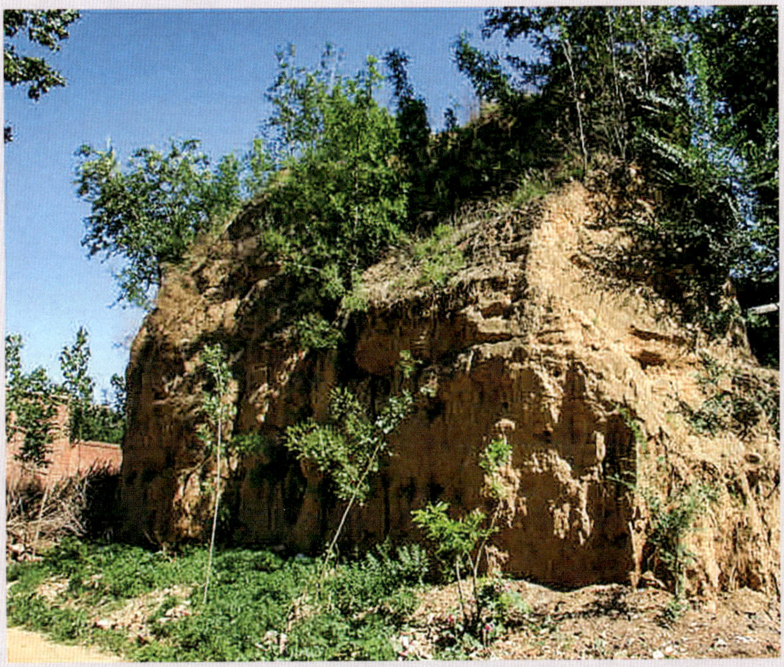

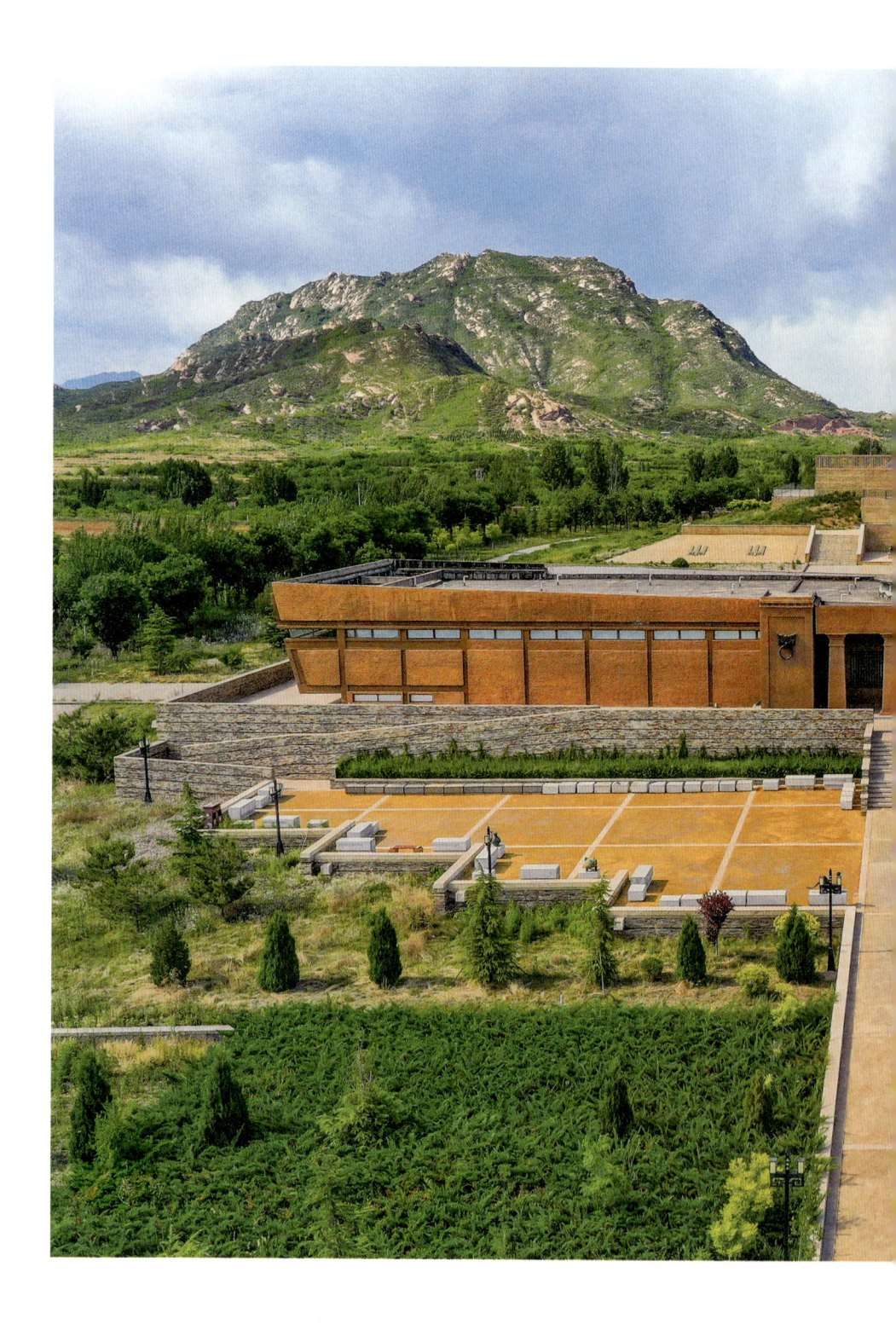

人文毓秀

◎ 古中山国遗址远景图 / 郭宪芳 摄

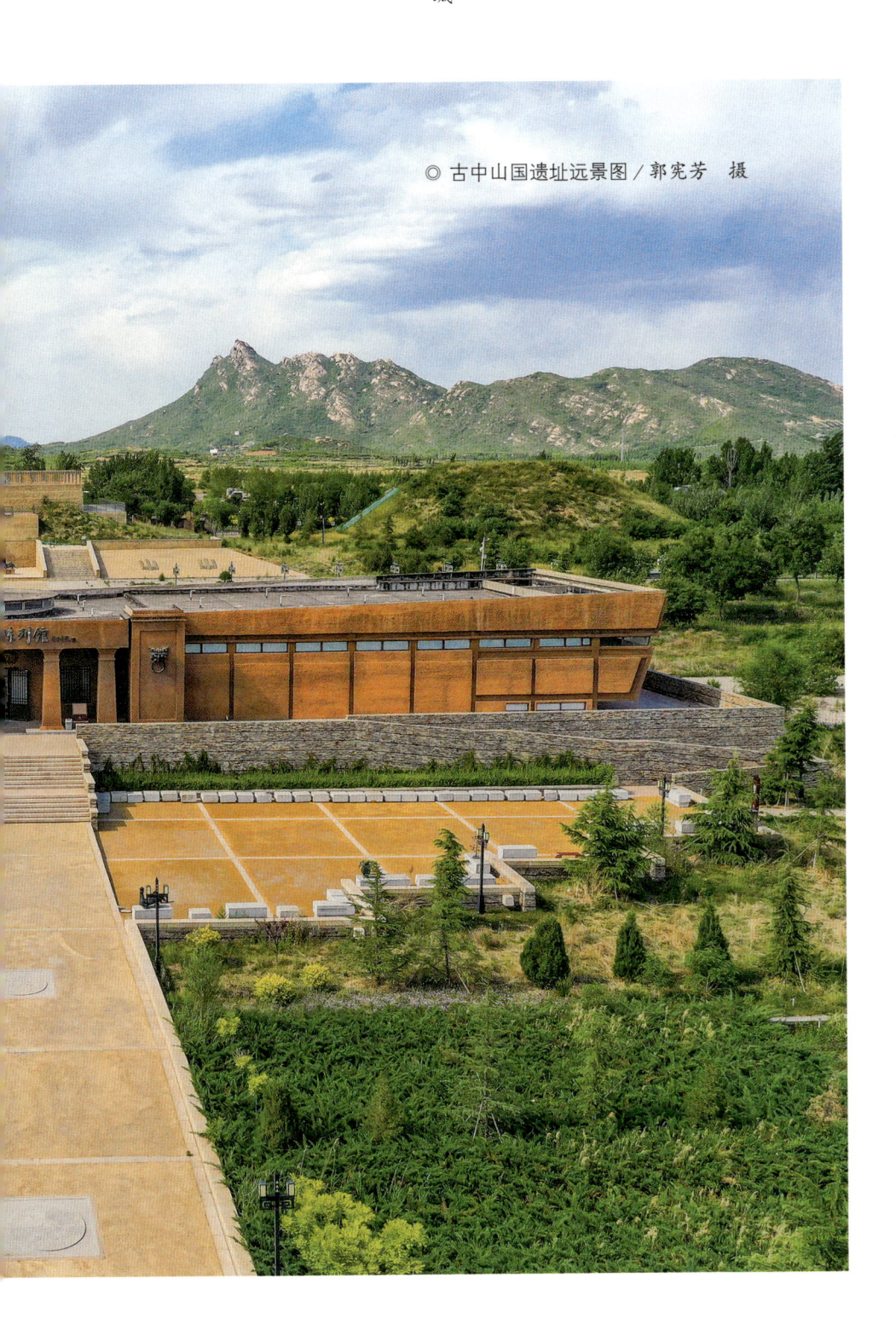

人文毓秀 006

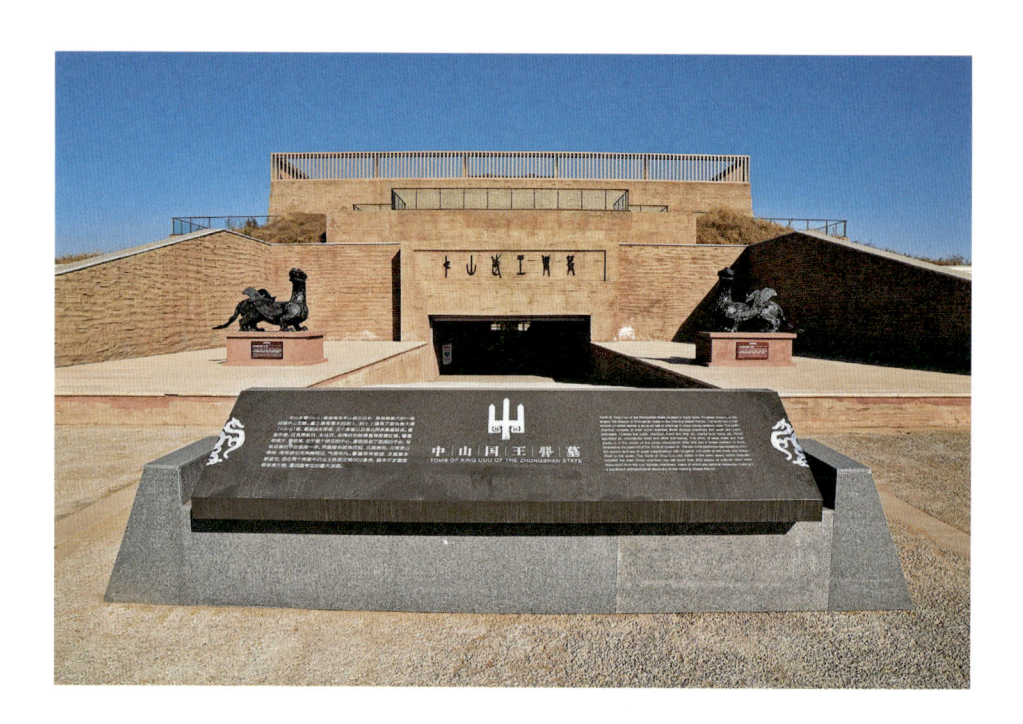

◎ 左页上图　中山国王䰢墓外景／视觉中国　供图
◎ 左页下图　中山国王陵陈列馆／视觉中国　供图

这对当时的中山国来说可算是巨额投入，是极其浩大的工程。随着列国争雄尘埃落定，中山国随风而去，它的这一豪举也湮没在岁月深处，它的存在对于后人来说曾长期停留在书面记载上，直至保定境内中山长城的发现才填补了这一调查研究的空白。

暗淡了刀光剑影，远去了鼓角铮鸣，中山国虽已消失在历史烟云之中，但它留下的这段长城竟然比秦始皇修筑的长城大约还早两百年。

这段古老的长城宛如一条喘息的老龙，拖着残存的身躯来到了现代，要仰头与当代人对话。

2. 形制各异的长城

如果把长城比作一个人，它也像人一样经历婴儿期、童年期、少年期和壮年期，那么，赤城县独石口镇马厂村的三棵树长城2段就是它刚出生时的模样。

走近这段形态稚拙的长城，你会恍惚：这是长城吗？

不是巍峨高耸举世瞩目吗？怎么没有青砖、没有敌楼？只见一片片碎石直接扦插垒起，从坍塌的断面上看，墙的内部也没有夯土和碎石芯，完全就是用片石垒起来的一道墙，与山里人家的院子差不多。

它善意地与今人开了个小小的玩笑，自嘲似的把并不雄伟的一面呈现给人们，恰恰说明了它的伟大。

怀来县小南辛堡乡庙港村的庙港长城是明代早期修筑长城时的"样板工程"。史料记载，明开国大将徐达修筑居庸关长城时为保证工程质量，需选择部分险要地段修建"样板"，最后选定在庙港一带。

◎ 右页图　三棵树长城／视觉中国　供图

万里长城　第一单元

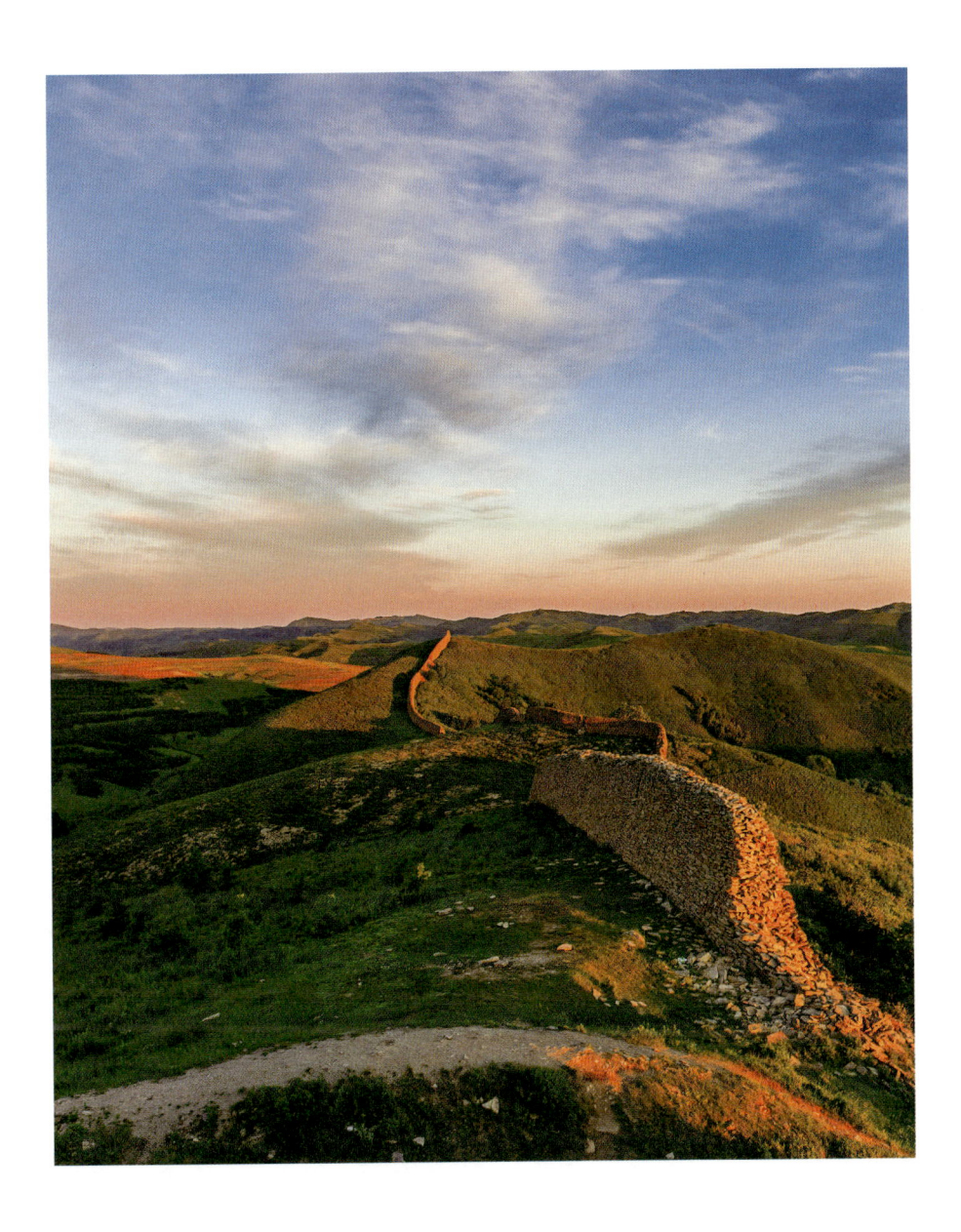

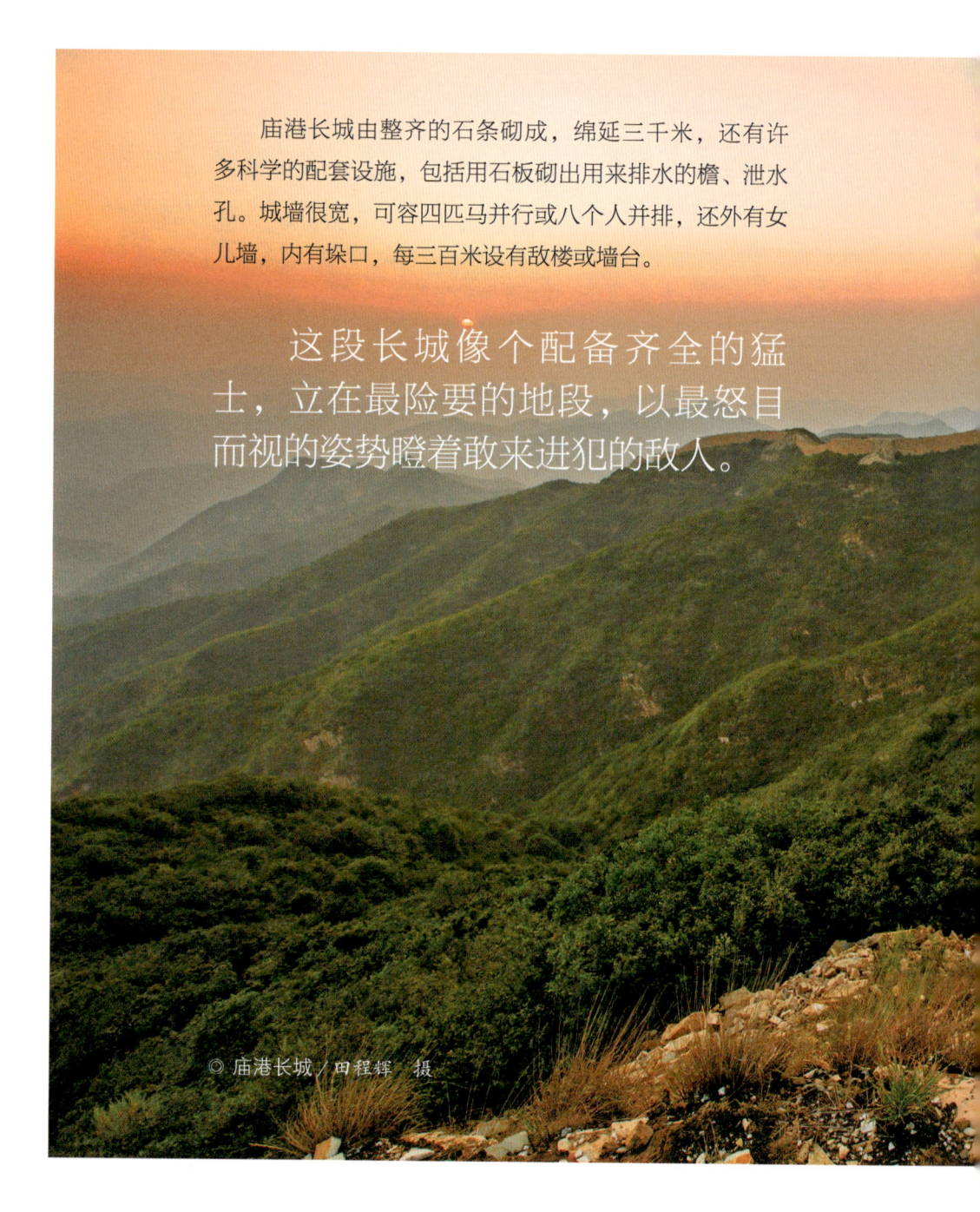

庙港长城由整齐的石条砌成，绵延三千米，还有许多科学的配套设施，包括用石板砌出用来排水的檐、泄水孔。城墙很宽，可容四匹马并行或八个人并排，还外有女儿墙，内有垛口，每三百米设有敌楼或墙台。

这段长城像个配备齐全的猛士，立在最险要的地段，以最怒目而视的姿势瞪着敢来进犯的敌人。

◎ 庙港长城／田程辉 摄

第一单元 万里长城

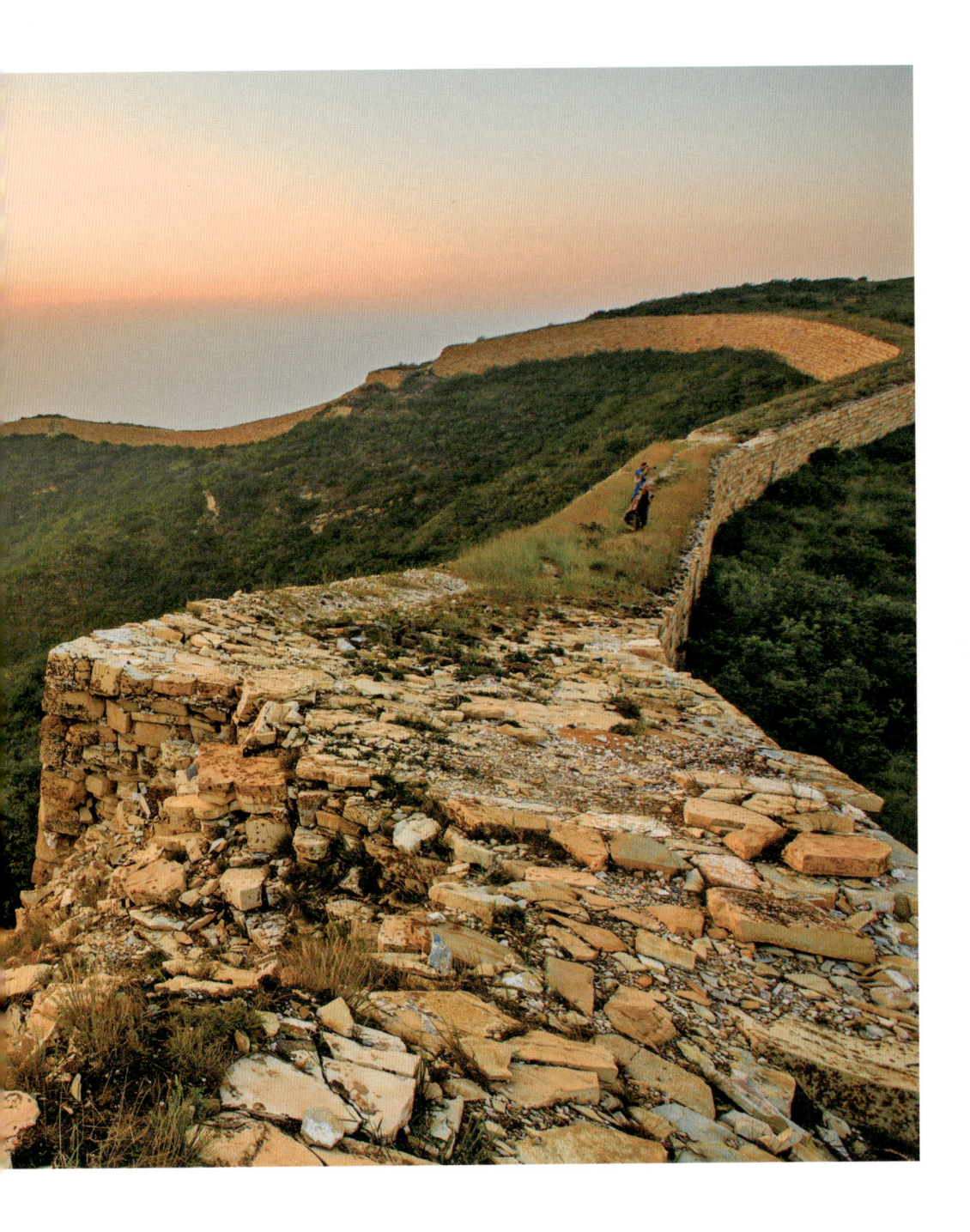

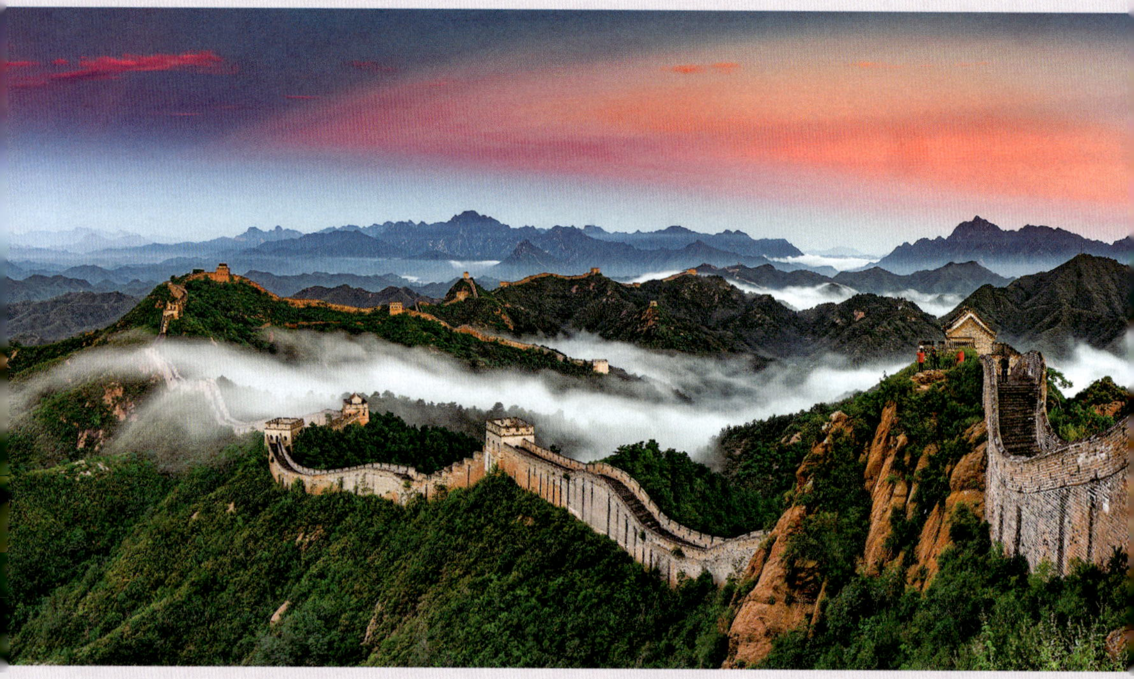

大明王朝有了样板工程之后，在长城的修筑上越发用心思，于是明中期以后出现了更精致的包砖长城。

社会技术的进步推动了长城的建造，换句话说，是基础条件具备了，更先进的建材出现了。

中国古代多用夯土筑城，唐代制砖技术有了发展，对城门及附近的城墙，开始采取用砖包砌、内填黄土的方法来修筑。到了明代，砖的质量和制砖技术都有了很大提高，砖已普遍用于居民砌墙。用砖砌墙不仅能承受较大的垂直载荷，而且它的强度大大高于版筑土墙及坯垒土墙。建材上的革新使得长城建筑发生了划时代的变化。

◎ 左页图　金山岭长城城墙／揣连海　摄

万历年间，戚继光在秦皇岛市海港区板厂峪一带重修长城，在石筑长城的基础上加砖修复，并增修砖制敌楼。他组织自己带来的义乌兵在此开窑烧砖，以供修筑长城之用。经调查，板厂峪一带已经累计探明砖窑遗址二百一十七座，是目前国内发现数量最多、最集中，保护现状最为完整，文物遗存最为丰富的一处大型长城砖窑遗址群，它们揭开了长城用砖的秘密。

　　明长城屹立数百年，跟砌砖时使用的胶结材料也有关。宋代以前是用黄泥浆，宋代以后，石灰砂浆才逐渐被普遍使用。明代在砌筑城墙时，将石灰砂浆和糯米汁一起搅拌，然后以此做胶结材料，直到今天，砖缝的砂浆胶结力仍很坚固。

◎ 下图　板厂峪长城 / 王金磊　摄
◎ 右页上图　板厂峪长城秋韵 / 周京春　摄
◎ 右页下图　板厂峪秋染长城单边墙 / 王进勤　摄

第一单元 万里长城

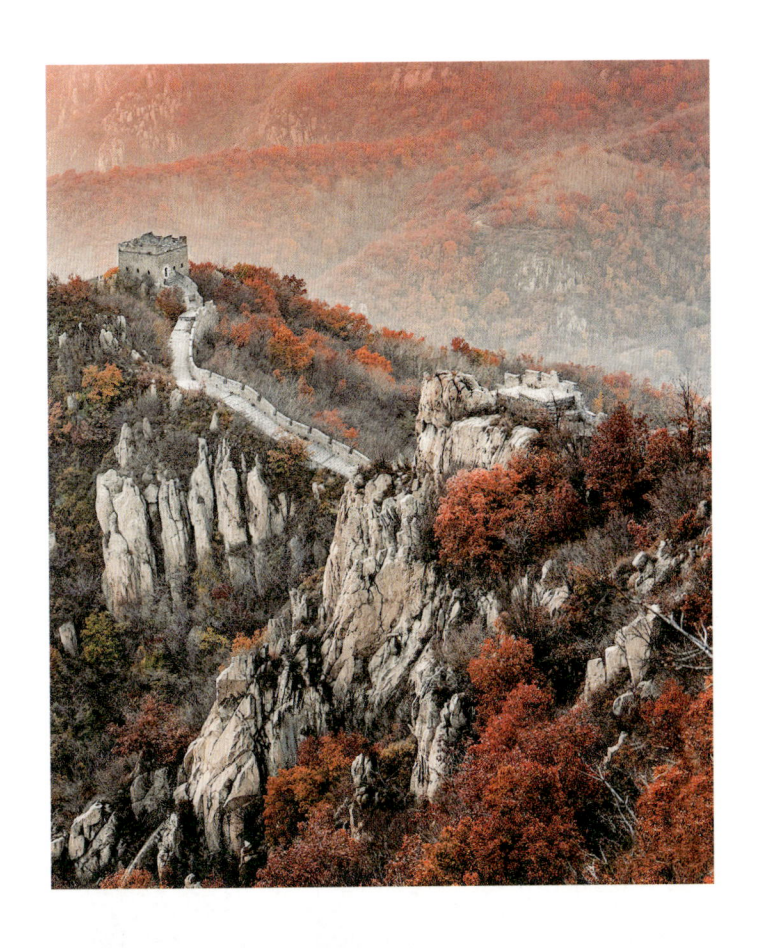

人文毓秀 016

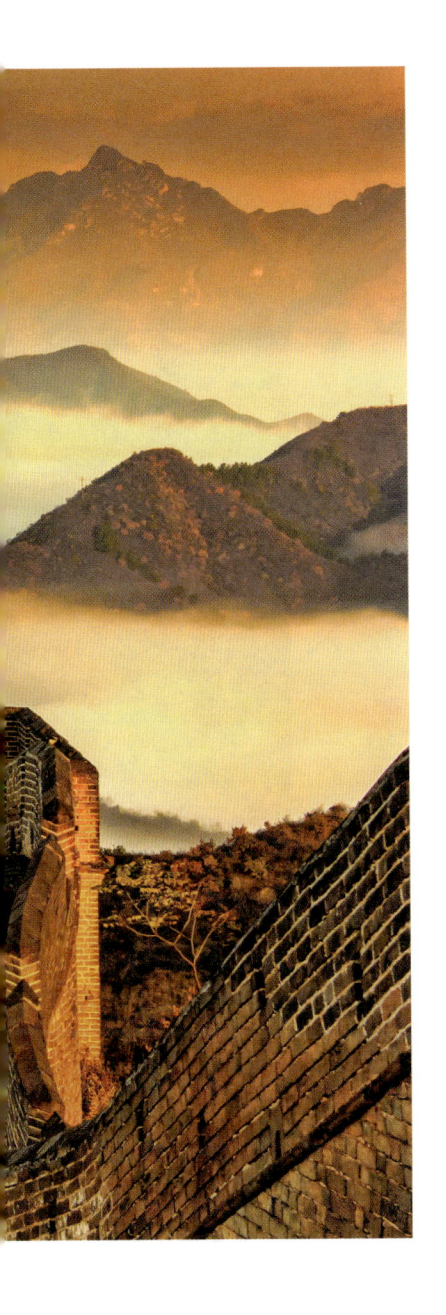

◎ 左图
金山岭长城小金山楼／视觉中国　供图

明长城的另一个创举是空心敌台。

金山岭长城的小金山楼是空心敌台的典型代表。空心敌台是蓟镇长城的重要防御设施，这使得长城的防御能力大大加强。据《明史·戚继光传》记载，在此之前，蓟镇长城的防御只是在重要关隘驻兵防守，"有警征召四集"，平时则"以据险为事"，在高低险厄、峰谷交错的防御线上，只是"巡边"而已。

隆庆二年（1568年），戚继光、谭纶两人被调往蓟州，负责修建北京附近的明长城。他们抽调江

◎ 右上图　云雾缭绕金山岭／周万萍　摄
◎ 右下图　晨曦初照金山岭／曹静彬　摄
◎ 右页右图　金山岭长城敌台／郑严　摄

南三千兵士，将台州的筑城经验运用到北方长城的修建之中，在长城上增修了空心敌台。有了空心敌台，守卫长城的将士以台为中心，按垛授兵，敌楼之间互为掎角，相互救应，都配备火炮，犹如一座座小型堡垒。

现存的八达岭、金山岭、黄崖关、山海关等多处长城都被戚继光这样改进过。

万里长城 第一单元

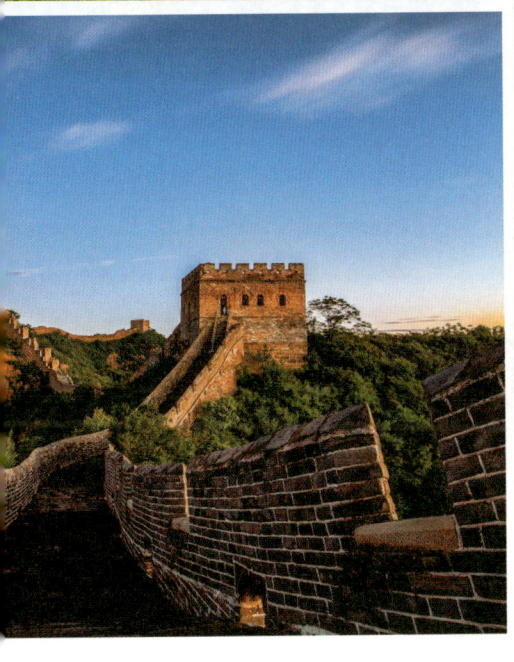

人文毓秀

贰 >> 长城精华居河北

1. 山海关：天下第一关

南临渤海，有一座以皇帝名字命名的城市，它就是秦皇岛，其辖区有著名的"天下第一关"城楼。

登楼远眺，只见万里长城蜿蜒曲折地爬上燕山，越过山脊，向西一直到大漠深处的嘉峪关。向下俯瞰，又见长城一头扎进波涛汹涌的大海，这便是大名鼎鼎的"老龙头"。蓝天、大海、长城，组成一幅壮阔雄浑的画面，令人心胸开阔。

◎ 左页图　大美山海关／张丽　摄

◎ 右图　山海关老龙头／王金磊　摄

从地理上看，山海关位于辽西走廊南端最窄的地方，自古至今，这里都是华北通往东北的要冲。显然，古人早就注意到了这个"咽喉锁钥"之地。秦代山海关就是秦代驰道"碣石道"的要冲；北齐便在这里修筑长城；隋唐时期，山海关作为军事要隘，被称为"渝（榆）关"。金元时期这里的战略优势明显得到加强，而山海关真正成为雄关要塞则是明朝的事。

虽然目前认定的明长城东起点是辽宁虎山，但山海关仍然可以算作明长城修筑的历史起点。明朝建立之后，明太祖朱元璋为加强北方防务，设立了卫所。为确保大明王朝江山稳固百姓安康，经刘伯温和徐达多方考察，定在古渝关东六十

万里长城　第一单元

里建山海卫城。明洪武十四年（1381年），大将军徐达派遣燕山等卫所屯兵一万五千多人，在永平、界岭等地修筑了三十二关，当年12月，修筑山海卫城，这就是山海关得名的由来。

山海关的天下第一可真不是浪得虚名，它是名副其实的山、海、关：山是陡然拔起五百一十九米的角山，海是渤海，关是角山至渤海老龙头这条八千米的狭长孔道上由关城、瓮城、罗城、翼城、前哨城堡、海防卫城和长城共同组成的独特城防布局。

由此可见，真正的山海关绝不仅仅是今天看到的挂着"天下第一关"匾额的那一座楼，而是中国长城

线上最负盛名的关城体系。

　　在明与清对峙的时候，山海关是明王朝辽西防线的核心和重中之重，真所谓"天下安危系于一垣"，明王朝几乎动用了全国之力保卫山海关，而山海关也的确曾有效地遏制了清军的入侵。如现存的董家口长城，便是明长城上的一座关口，是明代军事名将戚继光上疏修筑的蓟镇长城的重要关塞之一，是山海关关城的北翼要塞。始终拿不下山海关的清军曾十次绕关入内威胁北京，甚至一度占领山东等地，但是却未能在关内立足。而吴三桂只打开了南水门、北水门、关中门三道小门，就彻底改变了历史。

◎ 左页图　山海关边墙子烽火台／河北省文物局　供图
◎ 中图　山海关靖虏台／河北省文物局　供图
◎ 右页图　山海关澄海楼／河北省文物局　供图

人文毓秀 026

◎ 左页图　金山岭长城／申丽广　摄

山海关的防御体系到底厉害在何处？

它充分利用了地形特征，既有陆防设施，也有海防设施，充分显示了当时人们在山海关设置上的匠心独具。在老龙头到燕山深处的九门口这段绵延二十六千米的长城线上，竟然设着十个关隘、四十三座敌台、五十一座城台、十四座烽火台！

山海关，不愧为天下第一关！

2. 金山岭：万里独秀

金山岭长城在承德市滦平县与北京密云区交界地带的燕山支脉上，东接司马台长城，西连古北口长城，地处北京、天津、辽宁、内蒙古四省、市、自治区交会点，因处于深山僻岭，反倒躲开了山外的沧桑世事，几百年来"养在深闺"不为外人所识。

这段长城一经"面世"便引起了轰动，它壮美奇绝，尽显古塞雄关的大美气势。

◎ 右页上图　金山岭长城将军楼障墙／赵克军　摄
◎ 右页下左图　金山岭长城三岔口支墙／赵克军　摄
◎ 右页下右图　金山岭长城巴克什营烽火台／河北省文物局　供图

万山红遍层林尽染之时，茫茫长城在山间时隐时现，其秋色之美无与伦比，是世界上最奢侈的山际线、最唯美的观景台和最深刻的历史废墟。

金山岭长城是明代抗倭名将戚继光等人建造的，它建在燕山山脊坚硬的石英岩脉上，几乎集中了明长城所有的建筑形式，城墙上可容五马并骑，墙体外侧为垛口墙，内侧为女儿墙。

假设敌人想攻上金山岭长城的指挥中心将军楼，需要突破哪些防线呢？

烽火台是第一道防线，从将军楼向北伸出的一段支墙是第二道防线。如果敌人再向将军楼指挥中心突进，将军楼之外的山坡上还有挡马墙，这是第三道防线。第四道防线是将军楼下的月墙。如果敌人从关口突破进攻或架云梯攻上长城，障墙是第五道防线，守城将士可依托障墙步步为营，步步设防，保护自己，杀伤敌人。

万里长城　029　第一单元

人文毓秀

如此严密的防御体系，在整个长城沿线上都不多见。金山岭长城不仅仅秀在它穿越数百年而来依旧壮美奇绝，更秀在让后人窥见当年的长城原貌，领略了长城的雄伟气势。

登上金山岭长城，可以饱览千姿百态的北国风光。

那蜿蜒曲折的长城，犹如一条昂首摆尾的巨龙，飞腾在绵延起伏的奇峰峻岭之巅。龙头高扬在东面耸入云端的老虎山顶峰，仿佛再一纵身就能跃上天宫，而龙尾还搭在西面银带般的潮河岸边。

极目远眺，东面的雾灵山耸立在重重青山之间；西面卧虎岭像一只庞然大虎，威风凛凛地守卫在北京的北大门——古北口；南面是波光粼粼的密云水库；北面山涛云海滚滚流向天际。再加上蓝天白云的衬托，构成一幅壮丽的北国风景画。

金山岭长城的墙上有数以万计的带文字的城砖，记载着烧制城砖的年代和部队信息，可见大明王朝对这一工程极其重视，容不得一丝一毫粗制滥造。

◎ 左页图　雪后金山岭／刘丽　摄

叁 >> 内外融通大境门

顺着长城再向北走,来到张家口的大境门。如果有人说大境门也是长城的一个关口,你可能不会相信,因为长城的关口几乎均被称作"关""口",很少有被称作"门"的。

但是,大境门还真是万里长城众多关隘中一个十分特殊的地标。

现在的大境门高十二米,长十三米,宽九米,是一座条石基础的砖筑拱门。这未免让人有点儿疑惑,作为长城线上的重要关口,设置一个硕大的门与军事防御的初衷并不相符,太招摇了,显然是要告诉敌人从哪里进攻嘛。

◎ 右图 境门雪霁／孟全军 摄

万里长城　第一单元　033

其实，这个巍然耸立的大境门还真不是明长城体系中的大境门，而是建于清朝顺治元年的门。那么明代的大境门在哪里呢？顺着这个门向东，几十米外的凹地上有个被玻璃罩隔离保护起来的西境门，那才是明长城上真正的关口，又称小境门，仅高三米，宽一点六二米，十分低矮狭窄。

◎ 左页上左图　大境门烽火台／赵娟　摄
◎ 左页上右图　大境门关岳庙／赵娟　摄
◎ 左页下图　大境门明德口街牌楼／赵娟　摄

明代中期和鞑靼屡次作战，作为边境的张家口一带并不太平，但中原需要草原的皮毛，草原也需要中原的丝茶，从经济上来说各有所需，谁也离不开谁，于是西境门就成为华北地区进出中原与草原的便捷通道。

为防止入侵者自贸易关口乘虚而入，这种仅容一人一马一车通过的小门就成为最佳选择。于是，这个因防御而建的长城关口就这样成了当时贸易交流的"口岸"，站上了民族融合的前沿。

其实早在1571年，大境门还没有打开之时，门外元宝山一带的边境贸易就十分频繁，后来形成了被称为"贡市"和"茶马互市"的边贸市场。

来自蒙古草原和欧洲腹地的牲畜、皮毛、药材、毛织品、银器等货物在此处换成丝绸、茶叶、瓷器、白糖，于是张家口便有了"陆路商埠""皮都"之称，而大境门一带也一跃成为古代中国北方国际贸易的内陆口岸。

人文毓秀

◎ 大境门长城来远堡市楼／视觉中国　供图

到了清朝，长城的防御功能已经弱化，一个高大的门更能强化茶马互市、交流互通的开放形象，我们现在看到的大境门便应时而生，于清顺治元年（1644年）在西境门的西侧建了起来。

大境门历史近四百年，见证过战争的残酷，也目睹了商业的繁华。它是战争的关口，更是商业的大门。

比起拒敌"关"外，大境门更多的则是开"门"迎客，这大概就是它作为长城关口，却被称作"门"的根本原因。

这为长城在历史上发挥的作用给出了不一样的注脚——以防御为初衷建筑起来的长城，在更多时间里其实是民族间贸易与交往的平台。金山岭长城沙岭口也是如此，即便在边关最紧张的时候，沙岭口的小门也是内外边民进出的通道。

长城初为防御而建，但历史上各个朝代都在向长城沿线的广大地区不断地移民、屯田，城内城外的民族既互相对抗，又互相学习，乃至最终共同生活，由此产生了广泛的民族融合。成千上万的关隘坐地生根，繁衍出无数村镇，从此生生不息。

◎ 右页图　大境门长城来远堡永顺门／视觉中国　供图

万里长城

人文毓秀 040

▇肆 >> 涞源野长城▇

河北保定境内的明长城，由古代关隘连接而成，属内长城，明朝时叫作"次边"。

涞源长城，又被人们称为"野长城"。该段长城充分结合了涞源特殊的地形地貌，是真保镇长城的一段，与八达岭长城于同时代修筑，建于明万历元年（1573年）至万历十一年（1583年），绝大部分保存较好。清代名人屈大均在《广昌》中对涞源长城有过这样的描述："长城带天末，古戍接云中。马踏三秋雪，鹰吟万里风。"

◎ 左页图　涞源县野长城／纪彦军　摄

乌龙沟长城是涞源长城的精华地段，有"万历原貌，威武雄关"的美誉。

其连续四十余座敌楼基本完好，关城的城墙、瓮城保存基本完整，是全国重点文物保护单位。

◎ 下图　乌龙沟长城/王俊芬　摄
◎ 右页图　石窝长城/刘长虹　摄

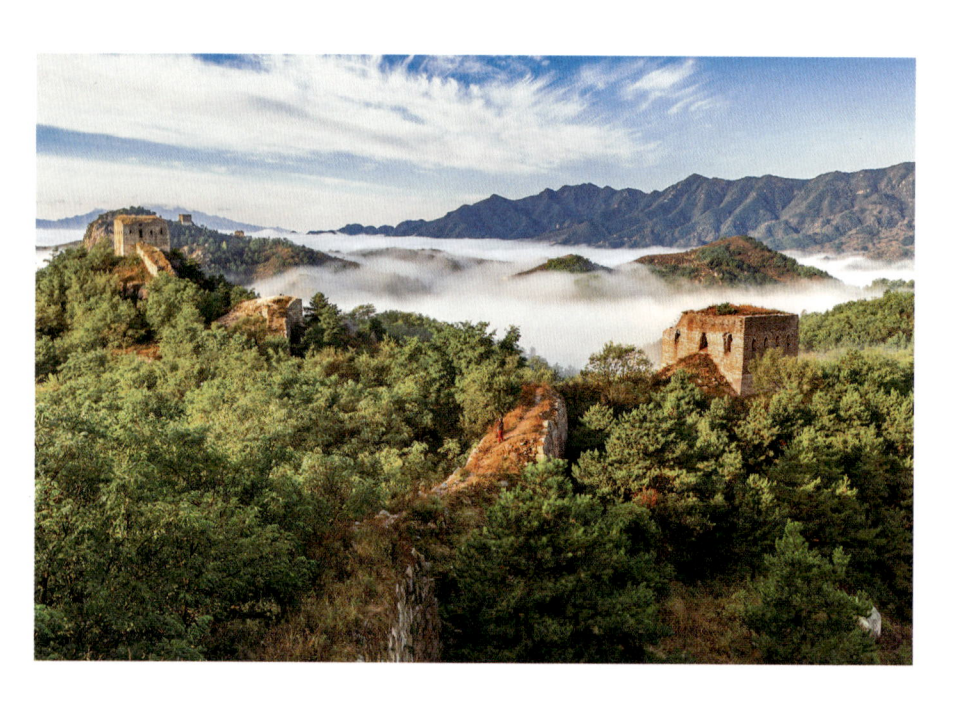

石窝长城，久负盛名。

它被称作是石头最多的长城，为白石山长城的中段，东为白石口，西为插箭岭。

在它的中间有一山口，也是长城的一个关口，叫羊圈子口。这一带都是怪石丛生的大山，长城就蜿蜒在怪石中，形成一道独特的风景线。

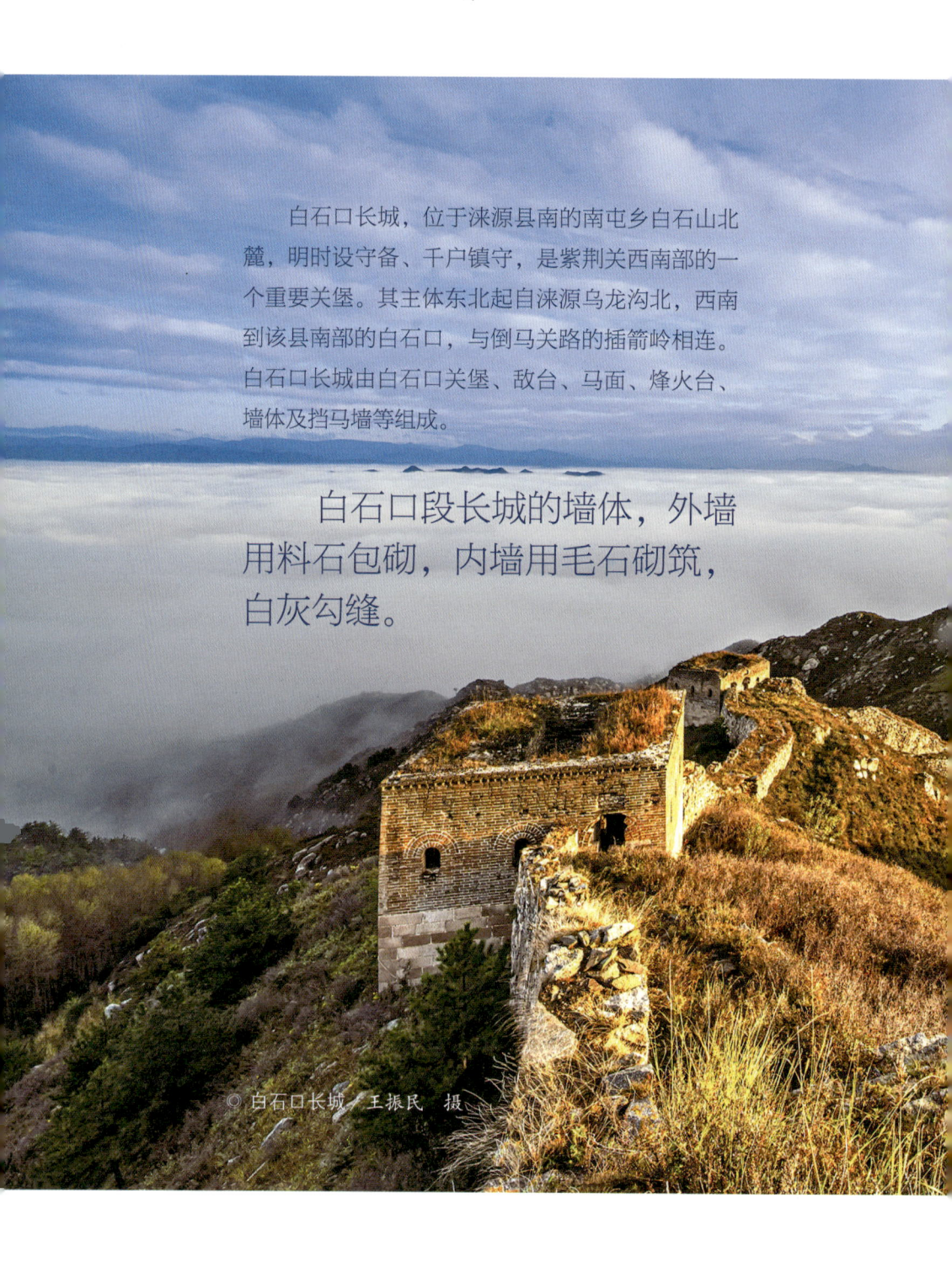

白石口长城，位于涞源县南的南屯乡白石山北麓，明时设守备、千户镇守，是紫荆关西南部的一个重要关堡。其主体东北起自涞源乌龙沟北，西南到该县南部的白石口，与倒马关路的插箭岭相连。白石口长城由白石口关堡、敌台、马面、烽火台、墙体及挡马墙等组成。

白石口段长城的墙体，外墙用料石包砌，内墙用毛石砌筑，白灰勾缝。

◎ 白石口长城 王振民 摄

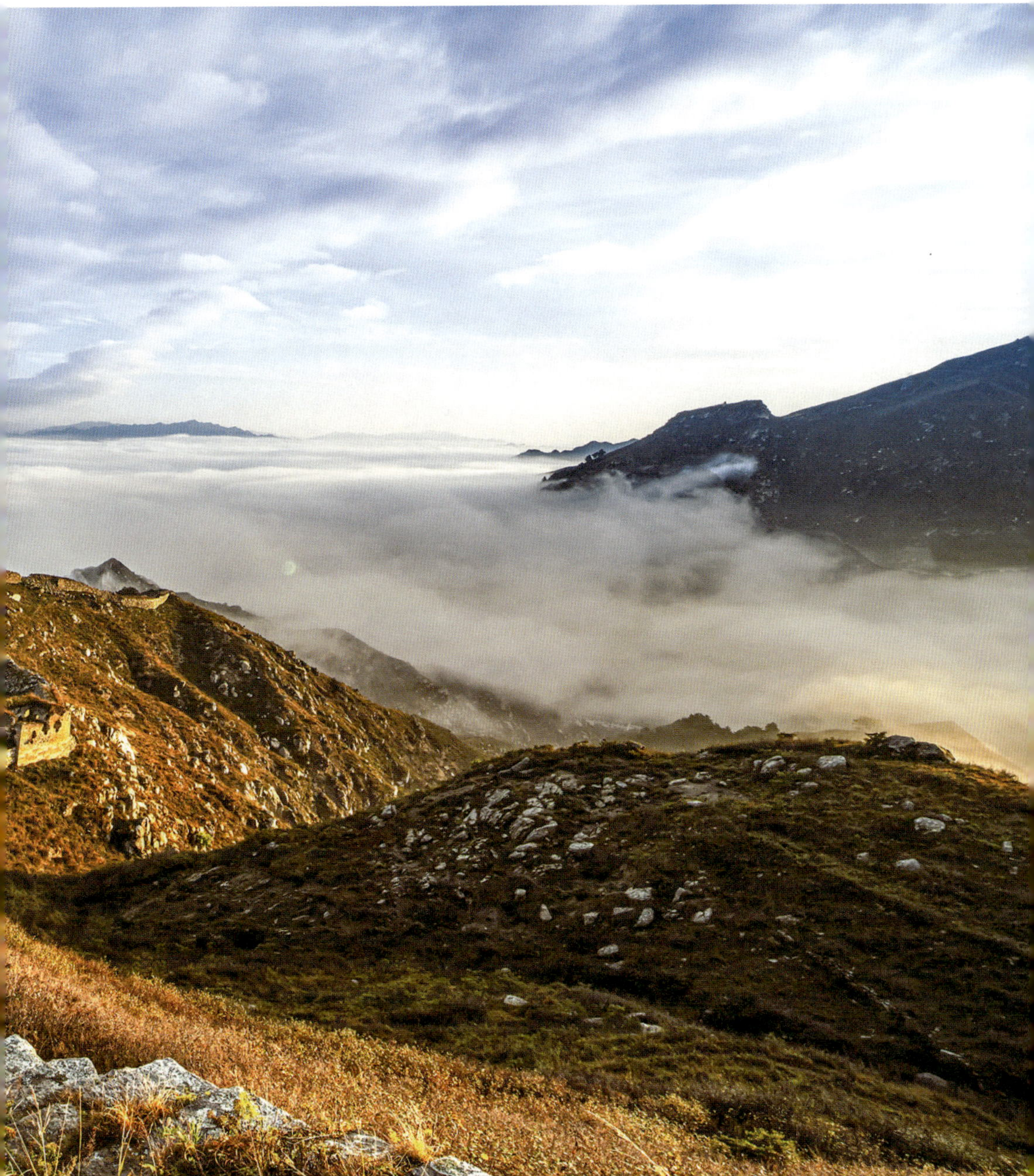

人文毓秀 046

◎ 左页上图　南楼台长城／王青龙　摄
◎ 左页下图　寨子清长城／视觉中国　供图

南、北楼台长城，位于涞源烟煤洞乡境内。两段长城走势较缓，曲线婉转。每年4月，长城两边杏花盛开，7月则杏满枝头，至10月又可见璀璨红叶，是长城迷和摄影爱好者的极佳去处。

寨子清长城，位于涞源烟煤洞乡寨子清村，南连唐子沟长城，东接乌龙沟长城。在其东南侧最高峰上的王宝尖敌楼上原有一座汉白玉石碑，石碑上记载该段长城是在明朝万历元年（1573年）初至万历二年（1574年）秋由蓟州总兵统率保定府修建。寨子清长城是涞源县明代长城敌楼最密集且保存较好的长城。因为寨子清村有明代长城围绕东、北两侧，四周都是陡峭的山峰，地势非常险要，易守难攻，所以在抗战时期，还曾作为保定行署专区领导们的办公地。

扫码听书

扫码看视频

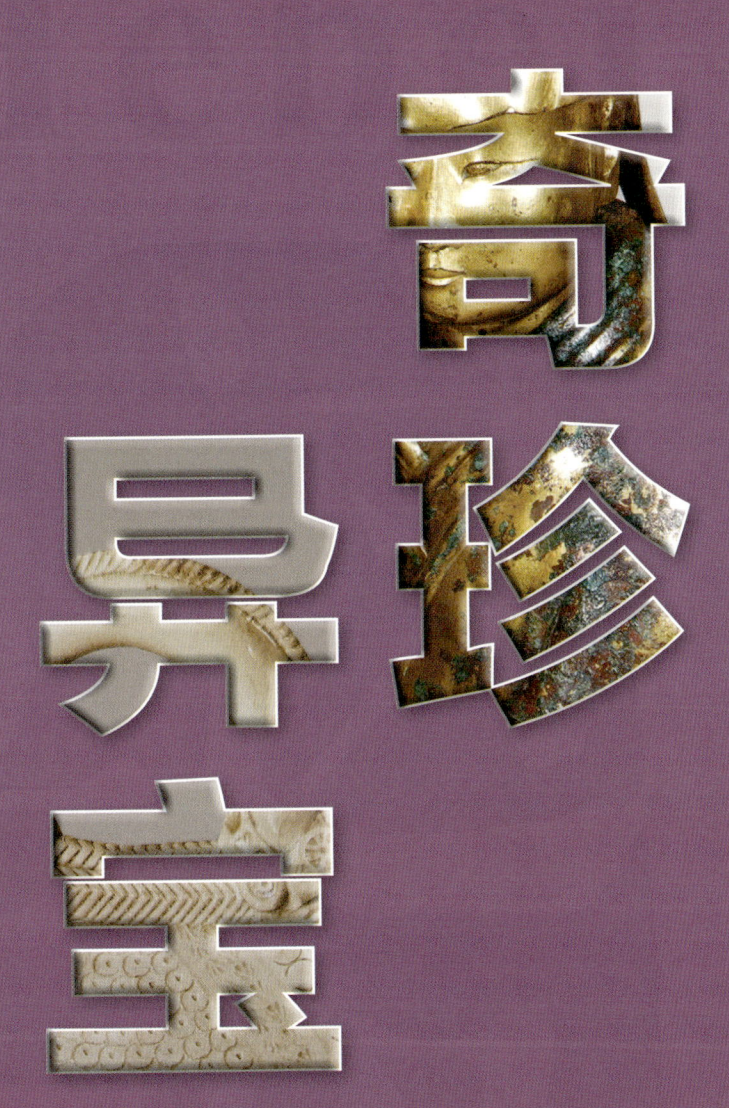

第二单元

奇珍异宝

人文蔚秀 050

壹 >> 历史的余韵

1. 叩击历史的门环

透雕龙凤纹铜铺首是中国目前所见的最大铜铺首，也是河北现存国宝中年代最久远的。

铺首是中国古代大门上的附件，通常地说就是"门环"，供敲门使用，同时又有装饰意义，展示所有者的财富。

在古代社会，人们认为要阻挡妖魔鬼怪进门，主要的方法是在大门上放一怪兽衔着门环。

这个巨型"门环"应为燕国宫殿大门上的构件，是青铜制品，整体是兽首衔环造型，兽首主体为中国传说中的怪兽——饕餮，宽眉巨目，圆眼吊睛，面露凶色，锋利的牙齿从口角两边露出并上卷，口鼻两边有须。饕餮额部饰有一只立凤，昂首瞪目，尾部翘起，两爪粗壮尖锐，各抓一条蛇。整体造型刚劲有力却又不失灵动，揭示了大自然中弱肉强食的生存法则，具有很强的艺术感染力。

◎ 左页图　透雕龙凤纹铜铺首/《风华河北》供图

站在如此巨大的门环面前，不由得浮想联翩：硕大的它该装在多有气势的殿门上才能相配？殿门如此，宫殿将是何等壮丽？被司马迁称为"崎岖强国之间，最为弱小"的燕国尚且如此，中国在那个时代的生产力该何等先进？文化该何等发达？

"此地别燕丹，壮士发冲冠。昔时人已没，今日水犹寒。"两千年前的燕赵豪情，时至今日依旧让我们心潮澎湃。

2. 穿越时间的文字

"中山三器"，在1975年由河北省文物管理处（今河北省文物考古研究院）的考古人员发掘于平山县三汲公社附近的一处高大土丘上。

它包括中山王䜴铁足大铜鼎、夔龙饰刻铭铜方壶和胤嗣刻铭铜圆壶，因刻铭文字长、历史文献价值高、器物制作精美闻名考古界。

◎ 右页图　中山王䜴夔龙饰刻铭铜方壶／《风华河北》供图

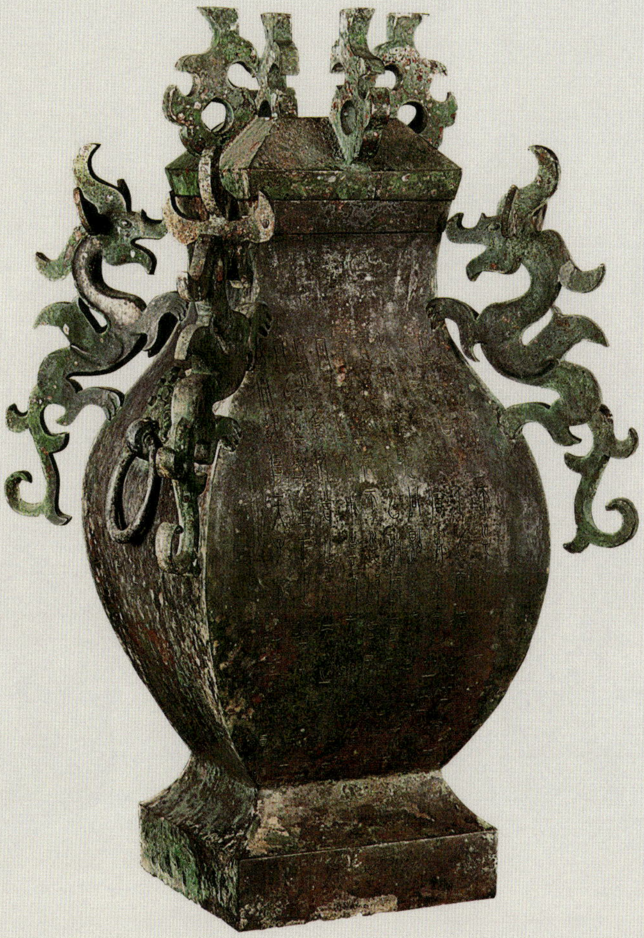

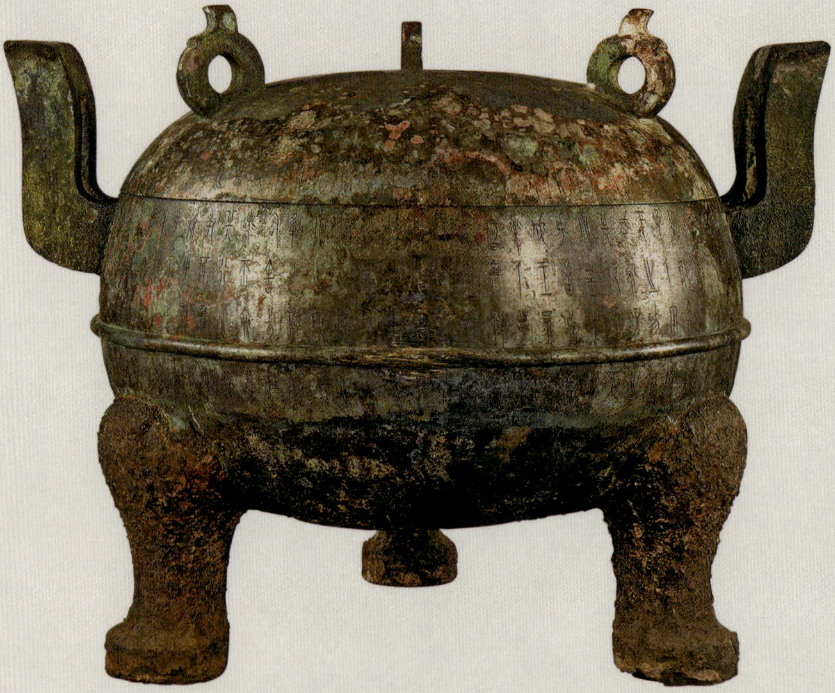

"中山三器"上的铭文，共有一千一百二十三个字，其中大鼎铭文有四百六十九个字，中山方壶铭文有四百五十个字。

这些文字所载的文献资料，弥补了史书文献之不足，就像一把钥匙，打开了古中山国这扇大门。

让我们走进两千三百多年前的中山国，看看当时发生了什么。

公元前314年，齐国集合十万大军趁燕国内乱对其发动大规模军事进攻，仅仅五十天就占领了燕国国都蓟城，杀死了燕王哙与相邦子之。关于这场战争，与燕、齐两国有关的史料均有记述，但在这一组重要文物出土前，世人都不知道中山国也曾参战，并从自己的视角记录了这场战争。

铭文首先斥责了燕王哙，指出他不该受相邦子之的迷惑禅让王位，造成燕国内乱，最后被齐国讨伐，落得国破身亡的结局。接着，铭文颂扬了本国相邦司马赒

◎ 左页图　中山王䶮铁足大铜鼎 /《风华河北》 供图

◎ 右页图　中山王䲨胤嗣刻铭铜圆壶／《风华河北》 供图

谦恭忠信，率师征燕，扩大疆土数百里，占领城池数十座。最后，铭文记录了中山统治者对子嗣的劝告，让他们不要忘记吴国吞并越国、越国又覆灭吴国的教训，时刻提高警惕，维护本国安全，并阐明治国要招纳贤能，使百姓归附和巩固政权。

"纳礼与器，器以载道"，器物表达人的价值和人生哲学，承载人的精神追求和道德观念，是文化的载体和重要组成部分，在民族文化发展中扮演着至关重要的角色。

通过铭文传达的信息，我们得以知道，中山统治者认为伐燕是拯民于水火，是维护礼义，反映出白狄出身的中山统治阶级已经深深地被华夏文化影响。

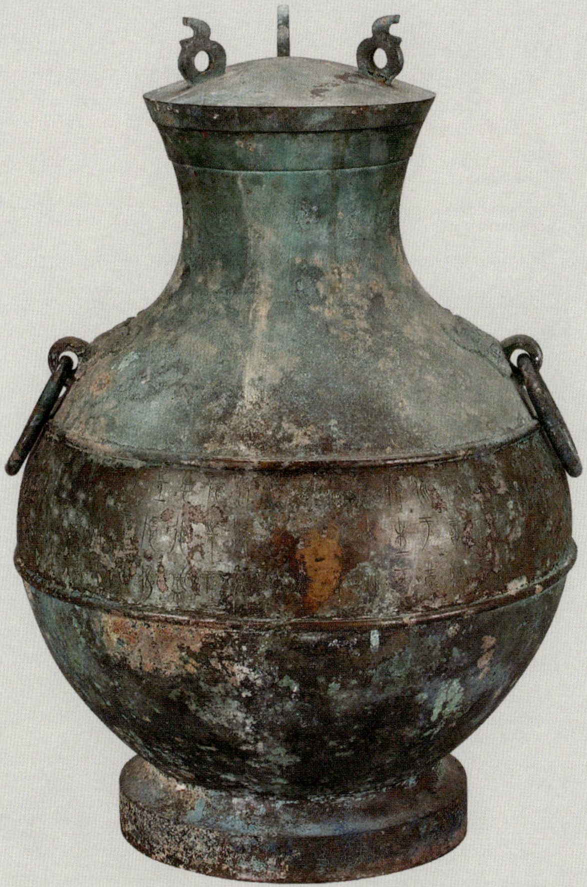

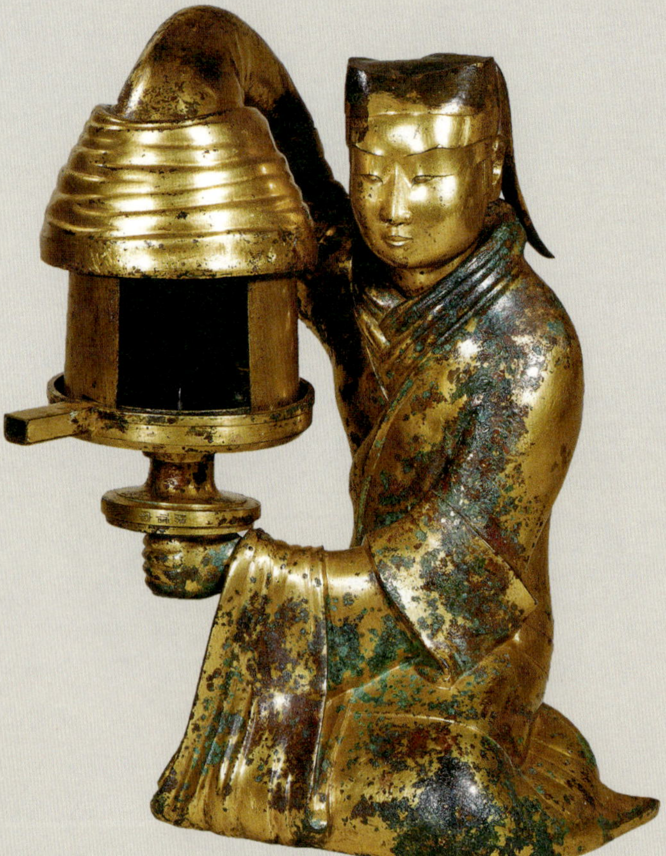

3. 奇巧之灯

长信宫灯举世无双，它号称"中华第一灯"，是河北博物院国宝中的"明星"。它还是中国1973年第一批带出国门参与"文物外交"的国宝之一，其后又在2002年被列入全国首批"禁止出国（境）展览文物"。

> 此灯设计之精巧、制作工艺水平之高，在汉代宫灯中首屈一指。

它一改以往青铜器皿的神秘厚重，整个造型及装饰风格舒展自如、轻巧华丽，是一件既实用又美观的灯具珍品。宫女中空的右臂与衣袖形成铜灯灯罩，可以自由开合，燃烧产生的灰尘可以通过右臂沉积于体内，不会大量飘散到周围环境中，体现了古代中国人民的智慧。

美国前国务卿基辛格来华访问时曾参观过长信宫灯，并感慨道："两千多年前中国人就懂得了环保，真了不起。"

1980年，长信宫灯赴美参加"伟大的中国青铜时代展"，并成为展览名录上的"封面女郎"。很多外国人认识中国青铜器，就是从长信宫灯开始的。

长信宫灯出土于满城汉墓，灯上有九处铭文，历

◎ 左页图　长信宫灯／《风华河北》 供图

史学者从"长信尚浴""阳信家""长信家"等铭文推测，这个灯曾在几个贵族家族中流转，最后才属于刘胜家族。

由此可见，长信宫灯绝不只是一件设计精巧实用的灯具，它凝固了汉代宫廷生活的瞬间，是大汉气象的生动展现，不尽地诉说着中华文明的传世荣光。

除了长信宫灯，另有两个灯也值得一提，就是出土自中山王𧍯墓的十五连盏铜灯和银首人俑铜灯。

十五连盏铜灯设计精致，工艺考究，人、猴、鸟、龙共处一体，构思奇特，妙趣横生，整个构图注意对称，十五支灯盏穿插布置，千姿百态，堪称灯具中的佳品，体现了中山国先人所认识与想象的大千世界。

银首人俑铜灯的整体造型是一个青年男子两手共持三盏灯盘，他的眉眼高高挑起，大大的眼中镶嵌着两颗黑宝石，一抹胡须调皮地向两边翘起，笑容可掬。三盏灯盘内各有三支灯钎，若在宽敞漆黑的宫殿里点燃这盏灯，火烛高低错落，令人赏心悦目。

◎ 右页上图　银首人俑铜灯/《风华河北》 供图
◎ 右页下图　十五连盏铜灯/《风华河北》 供图

奇珍异宝 第二单元 061

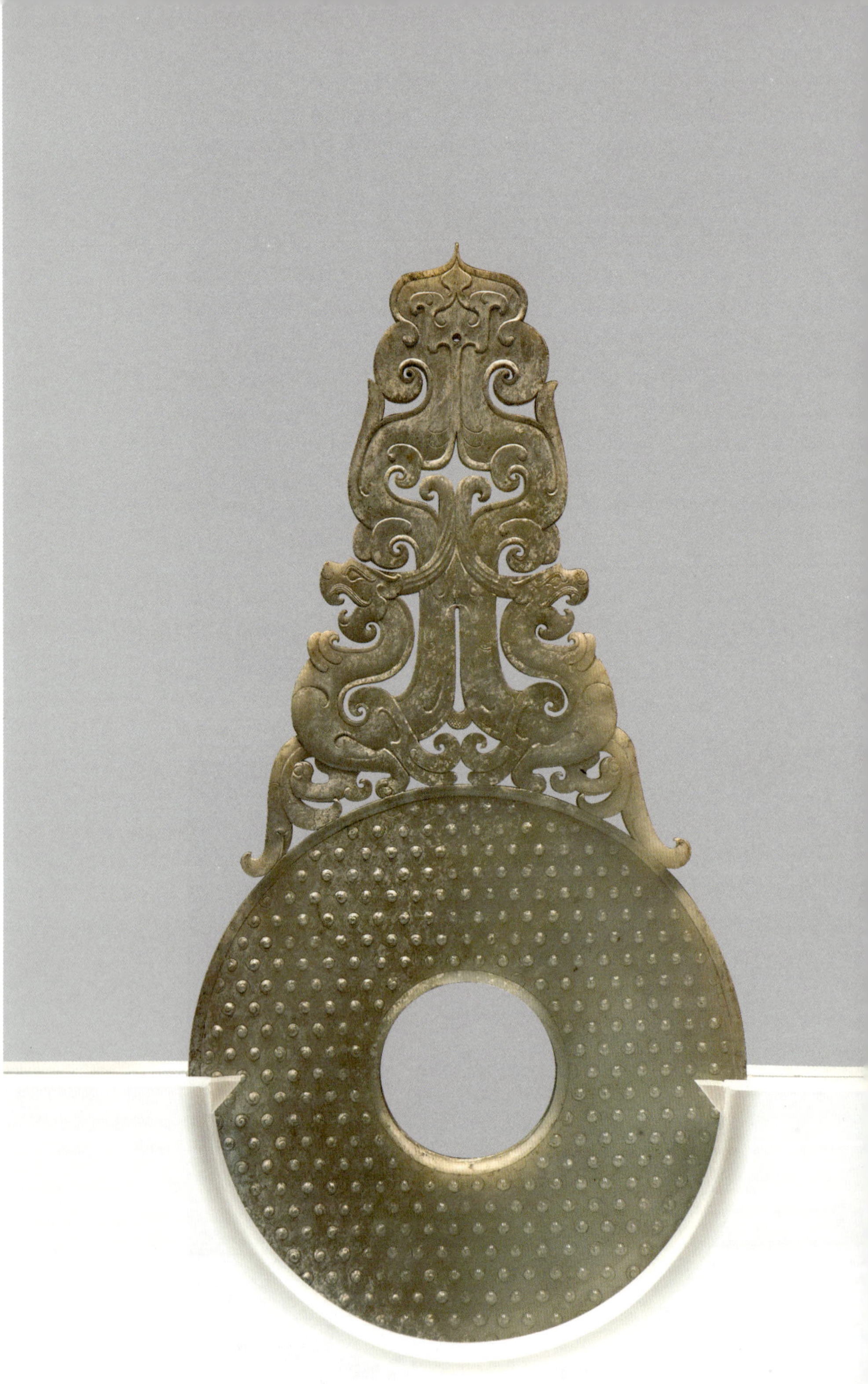

贰 >> 金玉传响

1. 山岳精英

"山岳之精英，人文之精美"，道出了中国人喜玉、崇玉的缘由。

河北的玉器从个体上看不乏精品和孤品，但若论最大规模的玉器发现，当属满城汉墓。

这批玉器的横空出世惊艳了世界，信手拈出的每一件都堪称精品。

透雕双龙高钮谷纹白玉璧是随葬在刘胜棺椁之间的玉璧，用和田白玉琢制，璧上端透雕一对矫健威严的夔龙，有蓄势欲飞之势。顶端是流畅的云头装饰。

◎ 左页图　透雕双龙高钮谷纹白玉璧 / 视觉中国　供图

透雕云纹白玉鸡心佩玉色微黄，质润光滑，正反两面刻着流云纹，两侧雕刻着鸟兽相搏，琢磨精致灵巧，纹饰自然流畅。

坐形白玉人脸形瘦削，长眉短须，束发于脑后，身穿宽袖长衣，腰间系斜格纹带，凭几而坐，双手置于几上。

玉舞人玛瑙水晶珠串饰，由玉舞人、玉蝉、玉瓶形饰、水晶珠、玛瑙珠等四十九件器物组成。玉舞人透雕，以阴线刻出面部及服饰细部，姿态优雅。

出土于刘畅墓的东汉龙螭衔环谷纹青玉璧，它在定州博物馆的射灯下静静地发着朦胧的青光。这是我国目前发现的最完整、最大的一块玉璧，上方透雕着一龙一螭，两兽同衔一环，腾云翻转，动感十足，这种在圆形轮廓的内部或外部雕刻龙纹、螭纹等镂空纹饰的玉璧形制，被称为"出廓璧"，代表当时最高的玉器设计和雕刻水平。

◎ 右页左上图　透雕云纹白玉鸡心佩／视觉中国　供图
◎ 右页左中图　坐形白玉人／视觉中国　供图
◎ 右页左下图　东汉龙螭衔环谷纹青玉璧／视觉中国　供图
◎ 右页右图　玉舞人玛瑙水晶珠串饰／视觉中国　供图

奇珍异宝　第二单元　065

人文毓秀

◎ 左页图　透雕神仙故事玉座屏／视觉中国　供图

出土于刘畅墓的透雕神仙故事玉座屏则是文物中的一件孤品。这件玉座屏由四块镂雕玉片插接而成。传统玉器基本是单形器，这样拼插组合的玉器形制相对少见。

此前汉代玉座屏只见于文献记载，这是唯一一件实物，在玉器发展史上可谓一枝独秀。

透雕神仙故事玉座屏雕镂的纹饰题材非常独特：青龙、白虎、西王母、朱雀、九尾狐、三足乌、东王公、羽人、熊、玄武、玉兔。这些形象不容易辨认，为了让参观者看清玉座屏上游丝一样纤细的刻线，定州博物馆专门制作了解读视频，让玉座屏中一个个神话形象从玉座屏中飞升出来。这些道教题材的神话形象，在汉代壁画、画像砖上并不少见，但出现在玉器上还是第一次，反映了汉代贵族对道家思想的推崇。

2. 金缕玉衣

珍宝之中"金"和"玉"总是并提，它们似乎是最标准的一对：金玉良缘、金童玉女、金玉满堂……然而，当古人用重一千一百克的金丝把两千四百九十八个玉片连缀在一起，制成一点八八米长的衣服时，那效果就太震撼了。这就是西汉中山靖王刘胜的金缕玉衣。

关于这件享誉中外的国宝级文物,似乎永远有讲不完的传奇和故事。

金缕玉衣是汉代最高规格的丧葬殓服。

◎ 下图　刘胜金缕玉衣/《风华河北》 供图

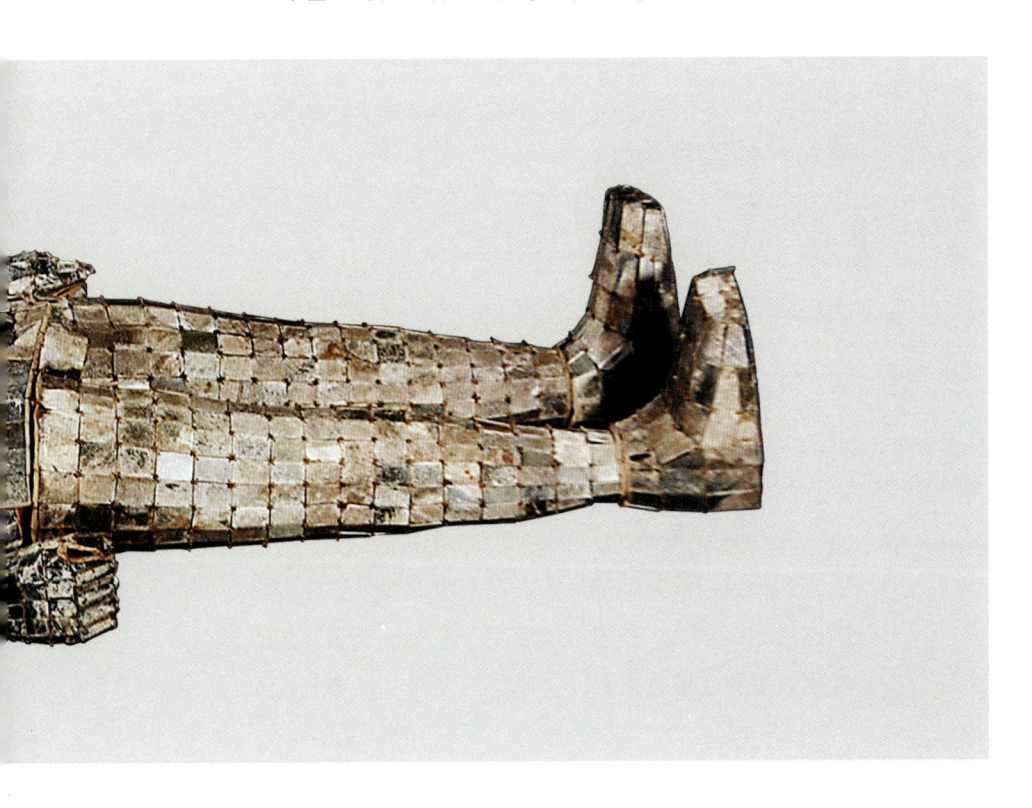

◎ 右页上图
满城汉墓中山靖王刘胜墓陪葬品／视觉中国 供图
◎ 右页下图
满城汉墓中山靖王刘胜墓地宫／视觉中国 供图

西汉笔记小说集《西京杂记》记载，汉代帝王下葬都用"珠襦玉匣"，形如铠甲，用金丝连接。这种"玉匣"就是今天所说的金缕玉衣。两千多年里，因为没有一件完整的实物出土，人们并不知道真正的金缕玉衣究竟是什么样子。刘胜的金缕玉衣成为我国首次发现的、规格最高、最完整的汉代金缕玉衣实物，填补了历史空白。

但是诸侯王刘胜为什么能穿皇帝专用的金缕玉衣？这与中山国在汉王朝极为重要的战略地位相关。

刘胜是汉景帝的儿子，受封中山国，号中山靖王，刘备就自称是他的后人。皇帝将刘胜分封在中山国这片富饶之地，并恩准他使用"金缕玉衣"，正凸显出其受封之地的重要。

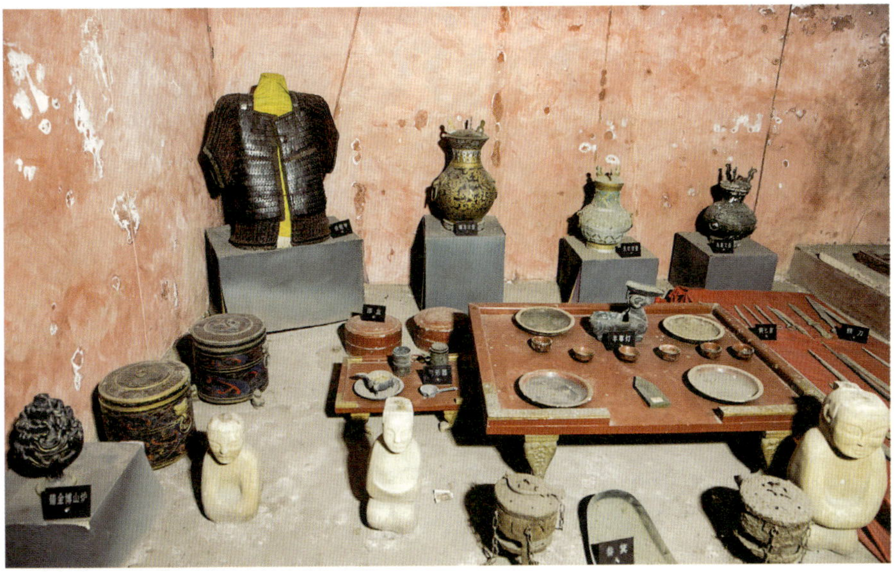

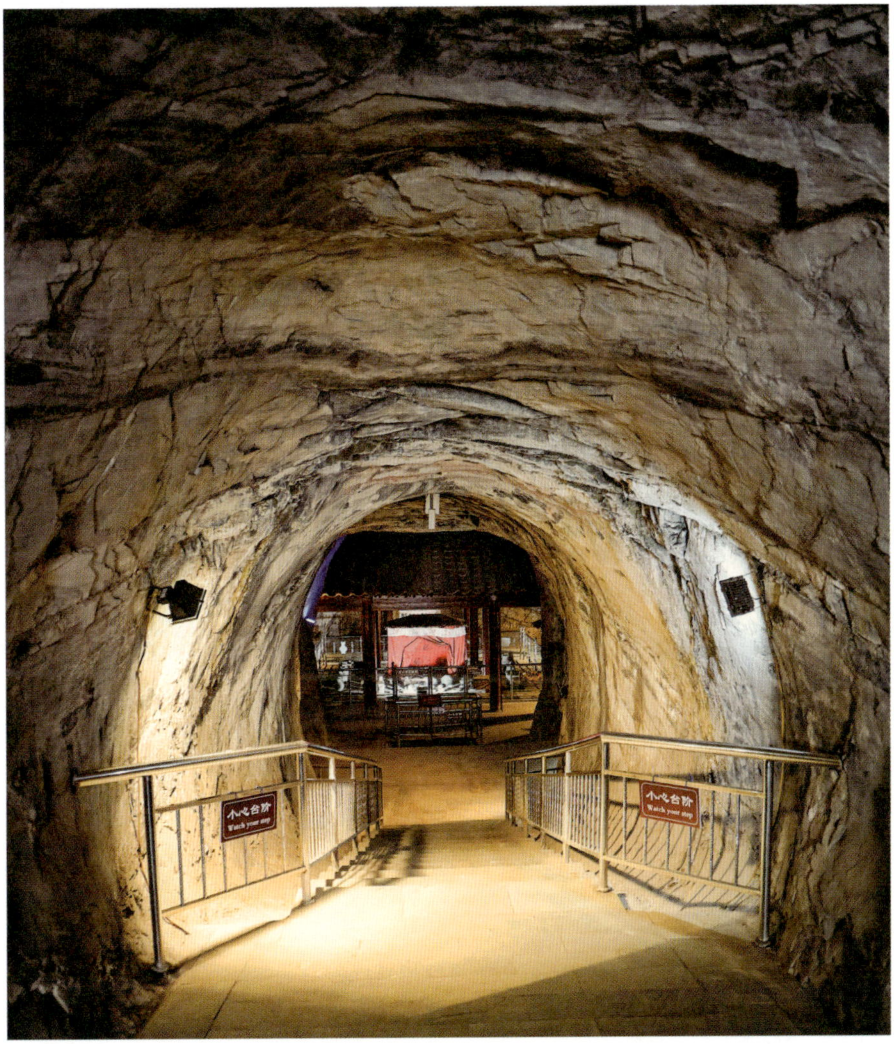
小心台阶
Watch your step
小心台阶
Watch your step

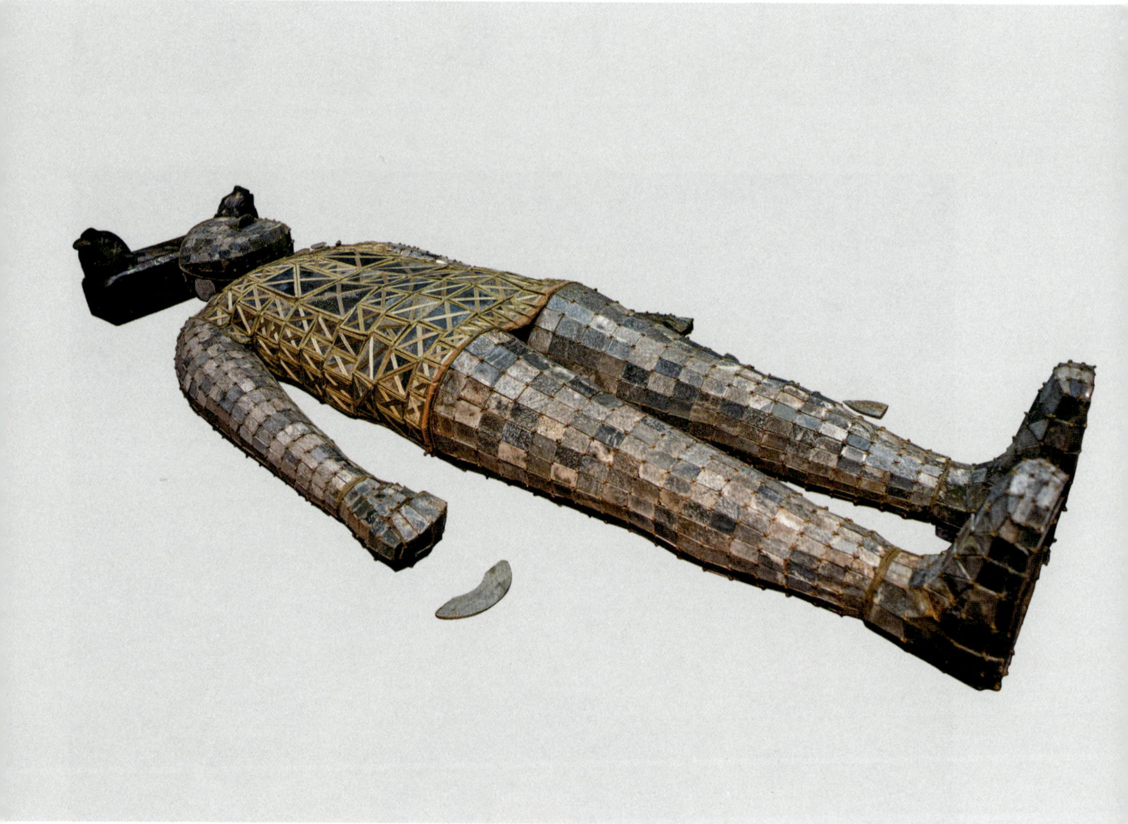

目前，全国出土并且经过修复的金缕玉衣共九件，只有刘胜夫妻的这两件没被破坏，可谓"最完整"，其余七件很不幸都遭遇过盗掘，大部分金丝被抽走，只剩下散乱残碎的玉片。

刘胜的这件金缕玉衣的腹部，那些微微鼓起的玉片体现了工艺的高超，工匠要将玉衣的胸部和腹部制成隆起的样子，臀部还要往里收，这使得玉衣不仅有腹，还有胸、有臀，完全贴合刘胜的身材。

制作这样一件造型精巧、曲线柔和、前凸后翘的玉衣，要耗费巨大的人力和物力。在两千多年前的西汉时代，根据当时的生产水平，制作一套"金缕玉衣"需要花费一个技能娴熟的玉匠至少十年时间，制作成本相当于当时一百多户中等家庭的财产总和。

金缕玉衣不是今天才成为"国宝"，两千多年前在西汉已是稀世珍宝。

◎ 左页图　窦绾金缕玉衣／视觉中国　供图

叁 >> 铜铁冶金

1. 铁刃铜钺

钺,是古代形似板斧的一种兵器,是权力的象征。

商代铁刃铜钺,1972年出土于石家庄藁城台西遗址,残长十一点一厘米,阑宽八点五厘米,铜身铁刃,上部有一穿孔,两面各装饰有两排乳钉纹。铁刃宽约六厘米,但铜外部分已经断失,嵌入铜钺内的部分深约一厘米,厚零点二厘米。

虽然它个头儿不大、颜值不高,但残存的铁刃却是我国最早的铁制品,代表了当时最先进的生产力。

铁刃铜钺的发现,表明早在三千三百多年前,河北大地上的先人已经开始认识铁这种金属,懂得铁的锻打嵌铸加工,而且专门将铁用在刃部,已经初步认识了铁比铜硬度高。

战国中期以后,河北地区铁器取代铜器,成为主要的生产工具。

◎ 右页图　铁刃铜钺／视觉中国　供图

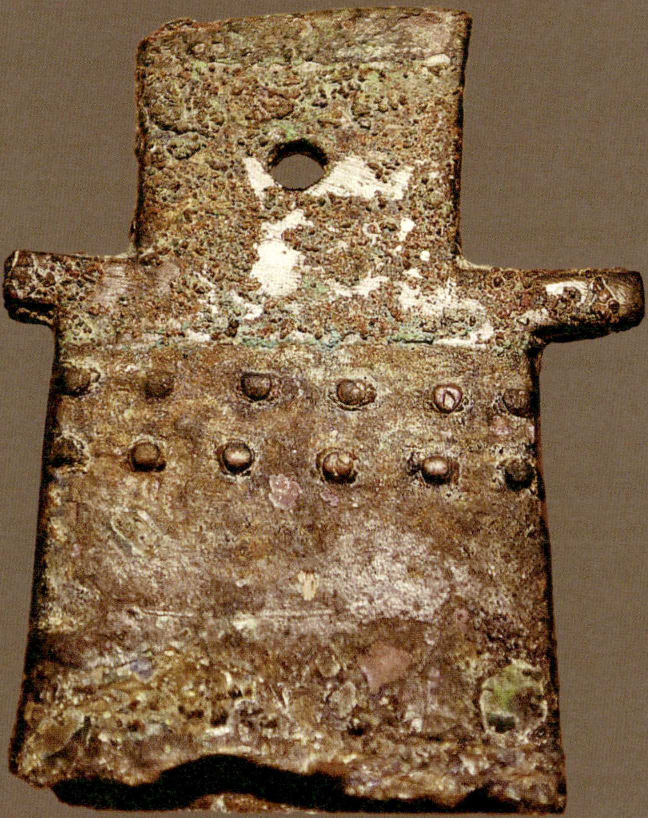

人文毓秀 076

2. 金银异彩

　　错金银双翼神兽是一件中山国特有的青铜艺术品，形象夸张奇特，将飞禽走兽的特点抽象、夸张、变形地集于一身，它长四十厘米，神兽四肢弓曲，利爪抓地，昂首挺胸，怒目圆睁，做咆哮状，同时两肋生翼，跃跃欲飞，神态雄奇而灵秀，尤其背部错出盘曲于云中的龙雀鸟纹，加之两翼长羽上扬的意态，更增加了威武凶猛神兽的灵动气息。

　　当然，神兽奇特的造型与中山国的由来分不开。

**　　中山国由一支名为白狄鲜虞的北方游牧部族所建，他们从今陕西一带迁到太行山以东，鼎盛时期的疆域处于燕、赵之间。**

　　他们的文物除了体现本民族的文化元素外，还吸收了很多中原文化，如篆书文字、礼仪制度等。

　　在河北很多文物身上，都能找到如错金银双翼神兽一样的多元文化融合的印记，文化多元正是河北文物的一大特征。

　　错金银双翼神兽的形象有许多仿制品，河北博物院门前那两个巨大的镇物就是放大版的神兽。

◎ 左页图　错金银双翼神兽／《风华河北》 供图

错金银虎噬鹿屏风座和错金银双翼神兽是同时出土于中山王䓨墓的国宝，器座以虎为主体，猛虎身躯浑圆，三足着地，一爪腾起，双目圆睁，两耳直竖，正在吞食一只柔弱的小鹿。小鹿在虎口中拼命挣扎，短尾用力上翘，始终无法脱身。此器物构思巧妙，铸工精湛，在国内罕见，是一件孤品。

虽然这种造型在古中山国文化中多有体现，但如

◎ 上图　错金银虎噬鹿屏风座／视觉中国　供图

此形象逼真的器物却绝无仅有。虎背的条斑、弯曲的脊柱、坚硬的咬肌、扭动的关节……形状各异的金银纹饰把老虎的捕食瞬间活现出来，把自然界的弱肉强食表现得淋漓尽致。

作为古中山国的代表文物，这件虎噬鹿屏风座经常走出国门展览，是中国文化的骄傲。

还有一件错金银四龙四凤铜方案。

这个方案上有四只跪卧的梅花鹿，四肢蜷曲，神态温顺，身上饰以错金斑纹，双颊饰以云头纹。它还有四条独首双尾的神龙，挺胸昂首，前肢撑立，爪抓底座，肩有双翼，龙身各处的纹饰洒脱舒展，自然沉稳，生动地刻画出龙的轩昂气度与独特风神。除了梅花鹿和龙，方案四面还各有一只引颈长鸣的凤，生动华丽，典雅迷人。

整个案座结构复杂，龙飞凤舞，瑰丽的错金银纹饰多变而不显繁多、生动而不显零乱，内容与形式、整体结构与线条细节的搭配和谐统一，回旋盘曲，拥有不拘一格的多样性，是错金银工艺中的一件瑰宝。

由于这个方案制作得太过精美，铸痕打磨得太过平整，再加上覆盖铜锈，肉眼几乎看不出接缝，它究竟是怎么铸造的呢？

◎ 右图　错金银四龙四凤铜方案／视觉中国　供图

081 第二单元 奇珍异宝

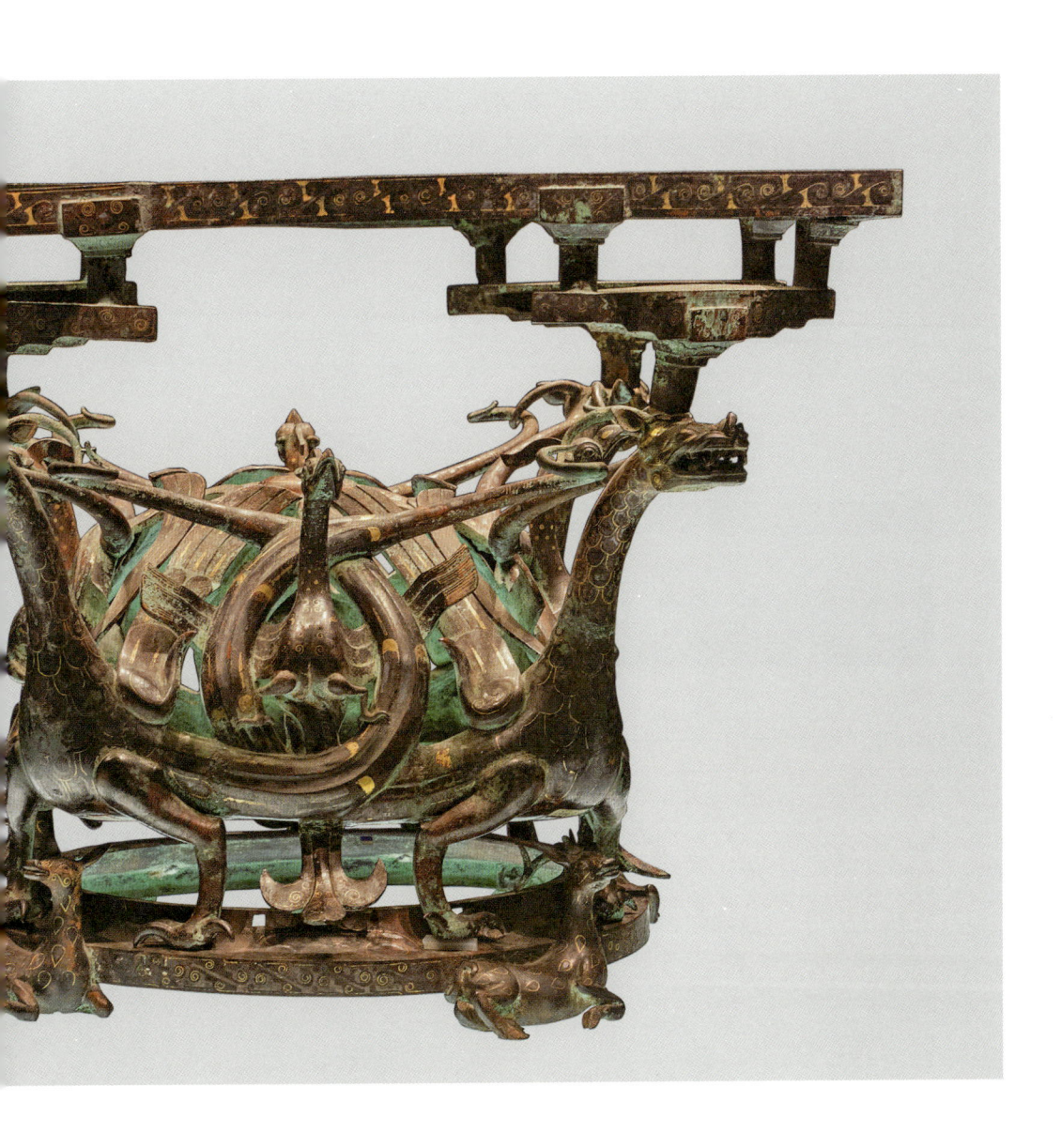

整个方案座由七十八个分别铸造的部件组成，这些部件又经过二十二次铸接、四十八次焊接，再将铸接痕迹打磨平整，最后再通体用金银装饰。几十条铸缝、接缝毫无痕迹，足见战国时期河北铸造工艺的高超。

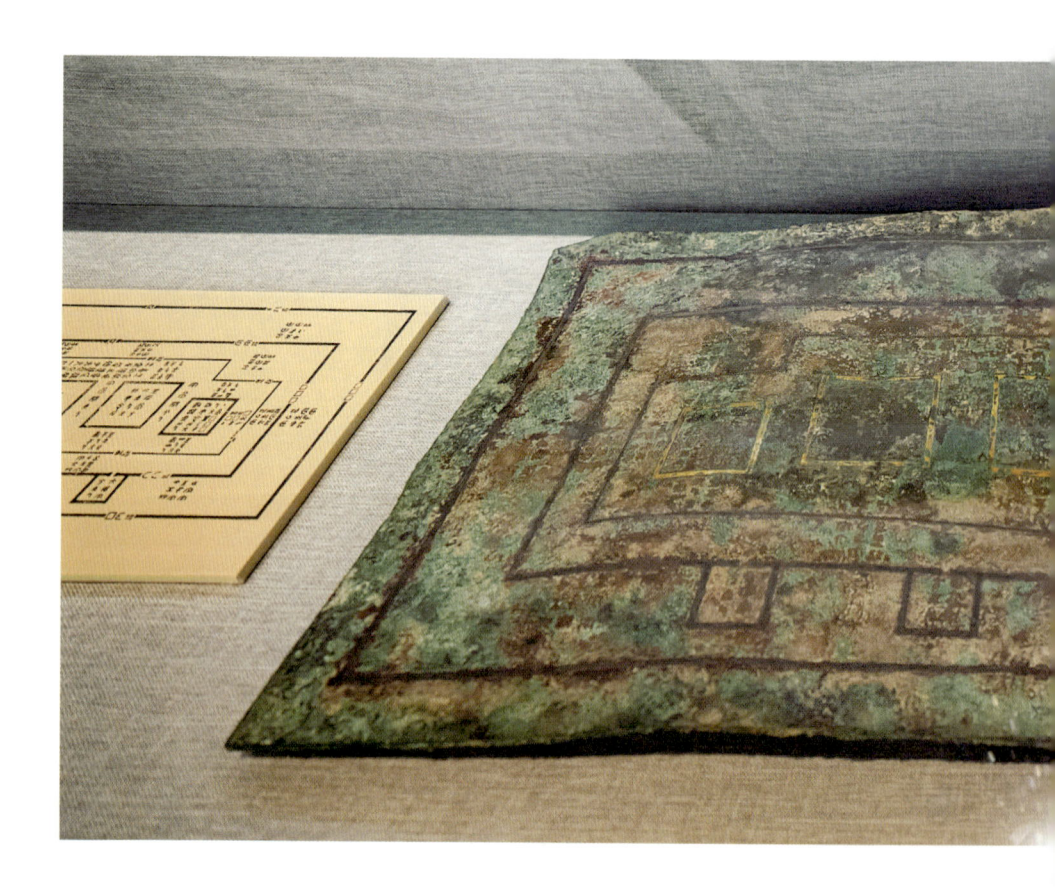

错金银铜版兆域图亦是一件珍贵的宝物，是迄今发现的世界上最早的有比例的铜版建筑图。此兆域图平面呈长方形，为一次铸成，正面是金银片条镶嵌出的实物构成的图形，各个部分及所注文字的位置左右相互对称，结构严谨。

◎ 下图
中山王䜭墓出土错金银铜版兆域图／视觉中国　供图

人文毓秀 084

西汉错金博山炉出自刘胜墓，是一件高级熏香炉，身似豆形，炉上铸着高低起伏、挺拔峻峭的山峦，神兽出没，虎豹奔走，活泼机灵的小猴蹲坐在山峦高处或骑在兽背上嬉戏玩耍，猎人们有的身背弓弩巡猎山间，有的追逐逃窜的野猪，几棵小树点缀其间，刻画出秀丽的自然山景和生动的狩猎场面。

它通体满布错金纹饰，金丝粗细得当，细的金丝犹如毫发，线条圆转，与起伏的山峦相融合，富于灵动之气。

点燃熏香后，香烟从镂孔处袅袅而出，缭绕在山峦景物间，产生山景迷蒙、群兽灵动的奇异效果。

然而，令人吃惊的是，并没有在香炉的"错金"部分看到凹槽。原来，错金博山炉采用了新的工艺——"鎏制法"，省去了预制凹槽、镶嵌、打磨等环节，使制作更加容易，这促进了西汉错金银青铜器的快速发展。

美国学者艾素珊评鉴这个香炉说："从观赏者的角度来看，它的造型及制作工艺已达到了空前的顶峰，也营造了一种人与动物之间浪漫气息的氛围。让人留恋盘旋着的龙和人在起伏的山峦小径中的同时，也享受着一种工艺带来的美感。"

◎ 左页图　错金博山炉／视觉中国　供图

肆 >> 文化的传声筒

1. 游牧民族与中原的融合

这是瓷器,还是皮革?面对唐代邢窑白釉凤首盖贴花皮囊壶,谁都会产生疑问。

它当然是瓷器,但看上去是那么柔软细腻,更像由质感十足的皮革制成,似乎用手一捏就能瘪下去。

它壶身扁圆,由三张柔软的皮页"缝合"而成,"缝合线"随壶的轮廓串走,"针脚"规整细密,皮条编结的花坠自然"垂"在壶的前后。壶身两侧各搭一片五边形鞍鞯花毯,鞍鞯花毯上有圆形、条形、麦穗形、钱形等装饰花样,鞍的五个角都缀有圆形泥饼,鞍面及其边缘有多层圆形、条形、钱形、麦穗形等形态的装饰,寓意幸福吉祥。

皮囊壶胎体洁白坚致,釉面光润,釉色白中泛青。造型别致,装饰华丽,工艺精湛,为邢窑白瓷中最为精美的代表作品之一。

◎ 右页图　白釉凤首盖贴花皮囊壶/《风华河北》 供图

奇珍异宝 087 第二单元

人文毓秀 088

邢窑位于现在的河北省内丘、临城一带，因古属邢州而得名。

它创烧于北朝，兴盛于唐，五代以后逐渐衰落，主要烧造白釉瓷，兼烧青釉、黄釉、黑釉、酱釉和三彩器。

邢窑白瓷造型规整，烧制娴熟，胎质细白坚致，釉色洁白莹润，有"类银、类雪"之称（现藏于河北博物院的邢窑白釉双鱼背瓶便是烧制于唐代的瓷器），与南方越窑青瓷齐名，形成唐代"南青北白"的瓷业格局。

鞍形的皮囊壶本是北方游牧民族随身携带的皮质水壶，而制瓷是典型的中原技艺，两种文化元素凝聚在了这一件器物上，如果不仔细看，竟会忘了这是一件硬邦邦的瓷器。

2. 异域文化间的交流

在河北，有一些来自遥远异域的文物，它们凝结了欧亚文化交流的印记。

◎ 左页图　邢窑白釉双鱼背瓶／《风华河北》供图

邯郸磁县的北朝考古博物馆里的两枚古罗马拜占庭金币，出土于茹茹公主墓，在灯光映射下，金光灿灿，异域气息十足。

　　经过鉴定，两枚金币为东罗马帝国皇帝阿纳斯塔修斯一世、查士丁一世金币，分别铸造于491—518年、518—527年，被列入国家一级文物。由于墓曾被盗扰，金币散落墓土中，专家推测，茹茹公主入葬时，这样的金币可能远多于两枚。

　　茹茹公主，是来自东胡柔然（今蒙古国、俄罗斯贝加尔湖地区）的和亲公主，东魏丞相高欢第九子高湛的幼妻。

　　茹茹公主去世于550年，这一年与金币的铸造时间只相隔二三十年。

　　金币能在这么短的时间内流入中国，可以想见，当时东魏都城邺城与东罗马帝国贸易交流多么频繁。

　　这段文化贸易交流的历史，刻在了博物馆前广场驼队雕塑的基座上，这就是《北朝古丝绸之路线路图》：

◎ 右页上图
磁县北朝茹茹公主墓出土的古罗马金币（一）/《风华河北》 供图

◎ 右页下图
磁县北朝茹茹公主墓出土的古罗马金币（二）/《风华河北》 供图

091 奇珍异宝 第二单元

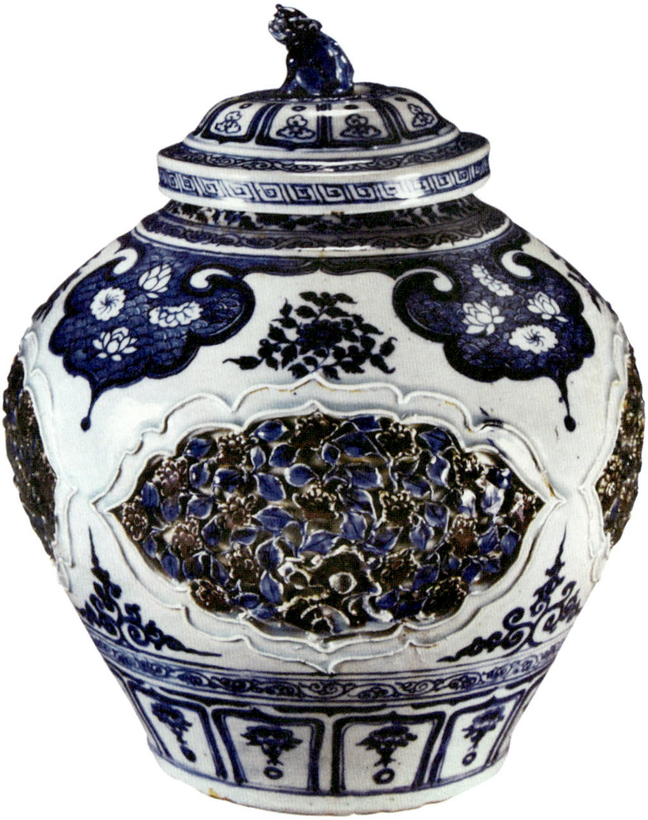

丝路东起点邺都（今邯郸临漳），在当时是具有国际影响力的大都会，贸易路线经由山西、陕西、甘肃等地，穿越中东，一直通往意大利罗马、埃及开罗。

两枚古罗马金币表明，在一千四百多年前，河北已处在域外贸易交流的前沿。

这样的域外贸易交流，到了元代依然在继续。

元代青花釉里红开光贴花盖罐，是元代瓷器生产技术进步的重要标志。

这件盖罐采用青花和釉里红装饰，通体青白釉，釉层凝厚，釉面青亮，极为滋润。它层次清晰，主题突出，纹饰有十余层，可谓花团锦簇。其造型厚重典雅，气势宏大，纹样繁缛精美，色彩蓝艳含蓄，又集多种装饰手法于一器，在珍贵的元代青花瓷中极为少见。

目前全世界元青花完整器存世量仅三四百件，我国各地博物馆收藏的元代青花瓷器仅一百二十余件。之所以国内存量不是很多，一个重要原因是元青花瓷的对外贸易性质——它是中西文化交流的产物，许多精品烧成后就走出国门，而烧制青花釉里红瓷器最关键的钴料"苏麻离青"也要从中东进口。这一进一出，让元代青花釉里红开光贴花盖罐成为对外文化交流的又一缩影。

◎ 左页图　青花釉里红开光贴花盖罐／《风华河北》 供图

扫码听书

扫码看视频

第三单元

传世古建

▌壹 >> 沧桑的古塔▐

在广袤的河北，一座座美丽的古塔挺拔隽秀，屹立千年，讲述着悠远的故事。

这里有赞皇县城东的治平寺石塔，有灵寿县沙子洞村的幽居寺塔，有元氏县城西南的开化寺塔，有赵县城内的柏林禅寺舍利塔，还有景县的景州塔、平山县的万寿寺塔林、易县的荆轲塔和双塔庵双塔，更有曲阳县的修德寺塔、蔚县的南安寺塔、涿州双塔……细细数来，河北境内竟有二百三十余座塔，形式多样，美不胜收。

这些塔在建筑艺术方面颇有杰出者。其中有我国现存最高最大的一座古塔——定州塔。定州在北宋与辽的交界处，北宋的工匠们将塔的高度修到当时的极限八十四米，当人们登上塔顶，极目四望，冀中平原的山水形势尽收眼底，所以它又叫"料敌塔"，可以观察敌情、防御射击。

◎ 右页图　定州开元寺塔/刘宪章　摄

传世古建 第三单元

人文毓秀

◎ 左页上左图　阳原县鹫峰寺唐塔／赵伟斌　摄
◎ 左页上右图　柏林禅寺舍利塔／视觉中国　供图
◎ 左页下图　邢台临城普利寺塔／视觉中国　供图

　　定州塔从1001年开始修，直到1055年才修好，历时五十余年，用了很多的木料，当时有句民谚"砍尽嘉山木，修成定州塔"，可见这一工程的浩大。此塔修成之后，经历十余次地震、雷击等自然灾害，至今依然屹立不倒，堪称古建筑奇迹。这座闪烁着世俗烟火气的古塔，将隐藏在痕迹中的历史向我们娓娓道来。

　　阳原县鹫峰寺唐塔，始建于唐贞元年间，清咸丰年间重修，是著名的佛教活动场所。该塔为砖土建筑，通体砖砌，实心，高约二十五米，是高僧道远的墓塔。

　　邢台临城县有我国唯一保存至今的北宋密檐式仿木砖塔——普利寺塔（万佛塔），塔的基层砖墙上刻有九百七十四个小佛像，塔的内壁四周还刻有佛像四十个，工艺精美，令人叹为观止。

慷慨悲壮的易水送别至今传颂，传说后人为纪念此事，修塔为记，于是有了纪念燕太子丹的燕子塔，与荆轲塔相对而立。荆轲塔形如利剑，直指苍天，每层的八个角上都悬着风铃，风吹铃动，清脆悦耳，音传四野。

◎ 右页图　保定易县荆轲公园荆轲塔／视觉中国　供图

传世古建 第三单元 101

人文毓秀

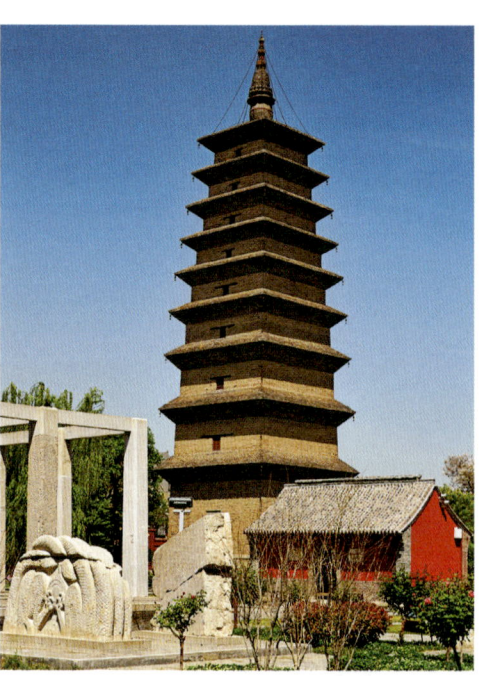

◎ 左页左图　广惠寺华塔／视觉中国　供图
◎ 左页右上图　开元寺须弥塔／视觉中国　供图
◎ 左页右下图　天宁寺凌霄塔／视觉中国　供图

　　登上正定南门古城墙向北望，古城的天际线被广惠寺华塔、开元寺须弥塔、临济寺澄灵塔、天宁寺凌霄塔勾勒出优美的轮廓，使正定古城分外古典而雅致。

　　细细看来，四座塔各有特色。

　　凌霄塔挺拔高耸，直冲霄汉。它的外部轮廓逐层递收，给人以稳定柔和之感，精妙之处在于它还保留着塔心柱，是我国现存实物中仅有的一例，在古塔建筑史上的重要地位不言而喻。

　　须弥塔俗称砖塔，是一座砖石结构的九级密檐式方塔，简洁古朴、稳重端庄，颇具唐风。从塔的建筑规模、形制和技艺等方面来看，可以说精妙绝伦，充分体现了中国古代劳动人民高度的智慧和伟大的创造力。

　　全国现存的华塔有十几处，但是，广惠寺的华塔雕饰最华美，布局最独特。对两宋虎视眈眈的辽、金因地处边陲，气候寒冷，所建的佛塔以不能登临的实心密檐式塔为主，于是基座、塔身便成了匠人发挥的重要空间，佛教题材的雕刻、构件等成就了极具辨识度的华丽繁复特征。华塔由主塔和附属小塔构成，小塔环抱主塔，高低错落，主次相依，精巧华丽，壮观秀逸，尤其烟雨蒙蒙之中，此塔朦胧秀美，别具韵味。

远远望去如一位青衣少女亭亭玉立的是澄灵塔，它柔和协调，清秀挺拔。它是正定四塔中最小的一个，但清晰秀丽，可算塔中上品。

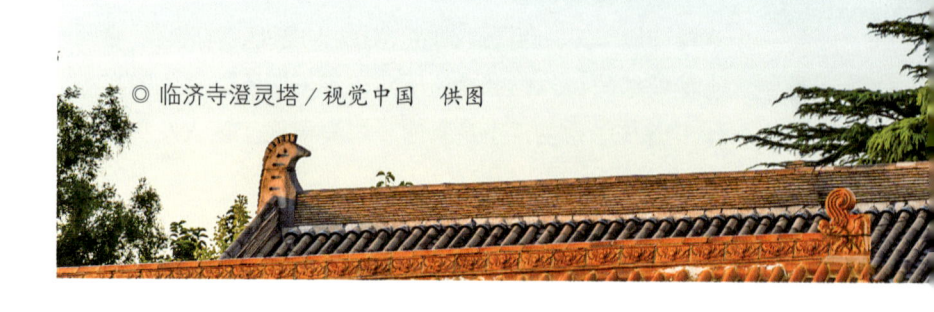

◎ 临济寺澄灵塔／视觉中国　供图

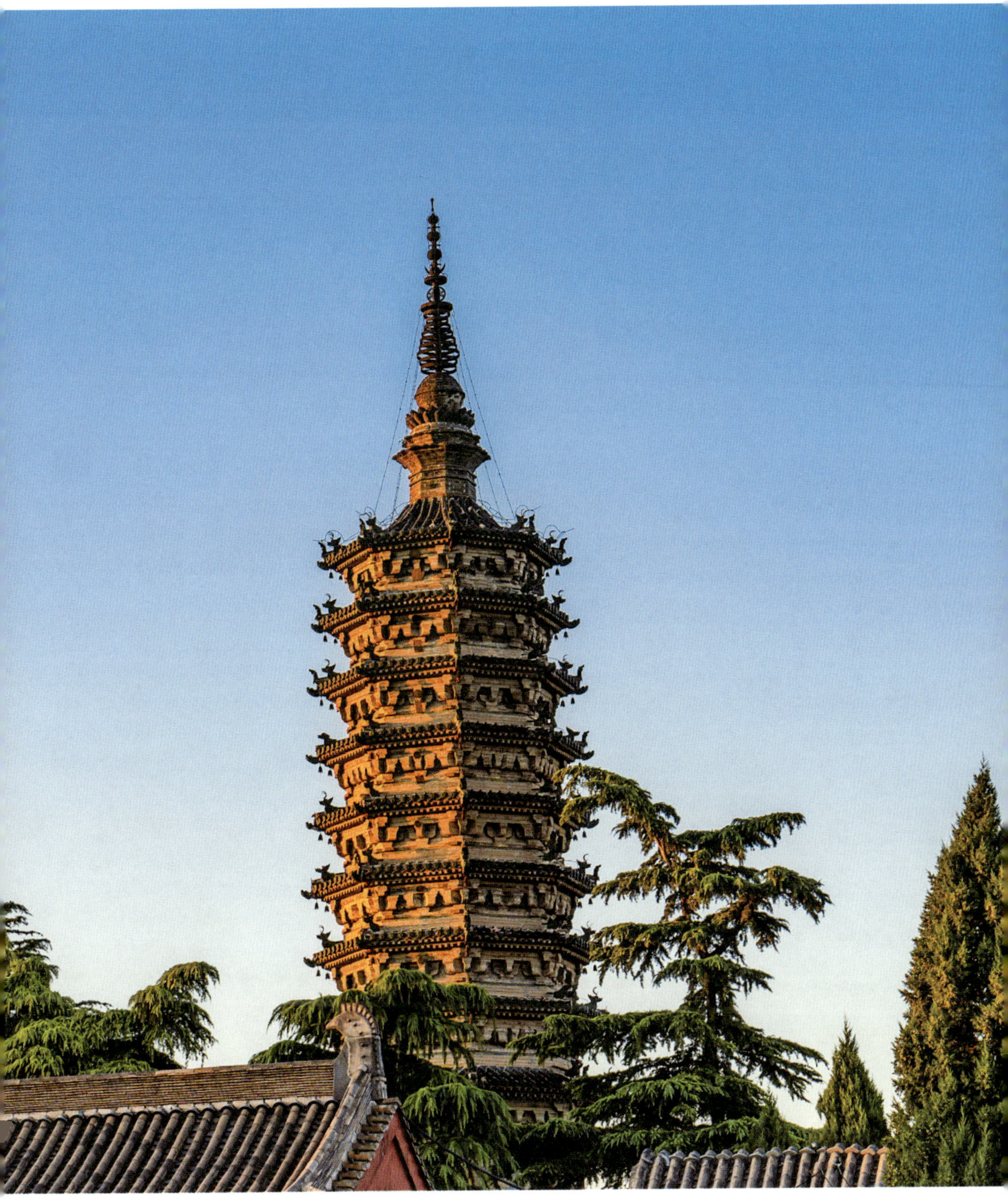

人文毓秀

◎ 左图　涿州双塔／视觉中国　供图

涿州双塔，是河北省保定市涿州市的地标建筑。一座塔是智度寺塔，即今之南塔，共五层，高四十四米，始建于辽太平十一年（1031年）；一座塔是云居寺塔，即今之北塔，共六层，高五十五点七米，始建于辽大安八年（1092年）。涿州双塔是佛塔，在辽代也兼具军事防御功能。

贰 >> 木头的交响

正定隆兴寺的建筑是动听的音乐。

走入隆兴寺,其中轴线一路的建筑可以用"高潮不断"来形容。这种格局上的紧凑感为隆兴寺制造了一种游览上的跌宕起伏,其独有的院落布局让建筑的情感表达从单体建筑拉长到了整个建筑群的协作。庄严的大殿并非单独出现,而是成为起承转合中的重要部分。

摩尼殿是隆兴寺现存最大、最完整、最重要的古建筑,独特的造型让它成为整个院落中最为灵动的一个。

与许多大殿不同,摩尼殿需要先从屋顶开始看。它的屋顶为十字形,像朵怒放的大花。这种四面出抱厦的设计在古建筑学中称为"十字抱厦",是全国古建筑中仅存的一处实例。

◎ 右页上图　雪后隆兴寺 / 武志伟　摄
◎ 右页下图　摩尼殿航拍 / 视觉中国　供图

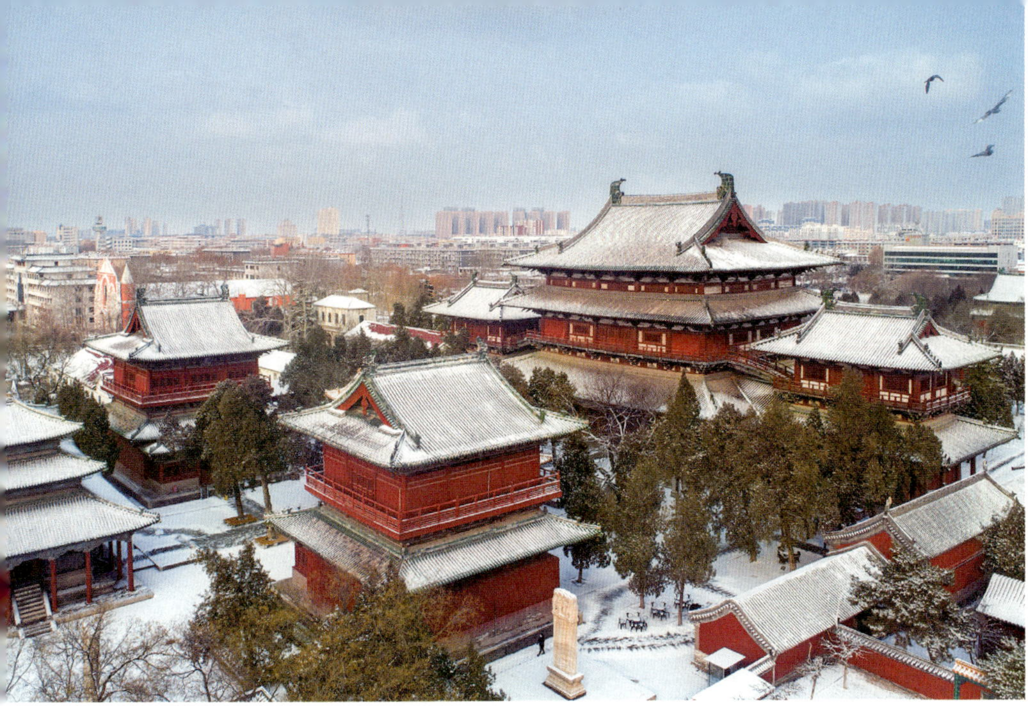

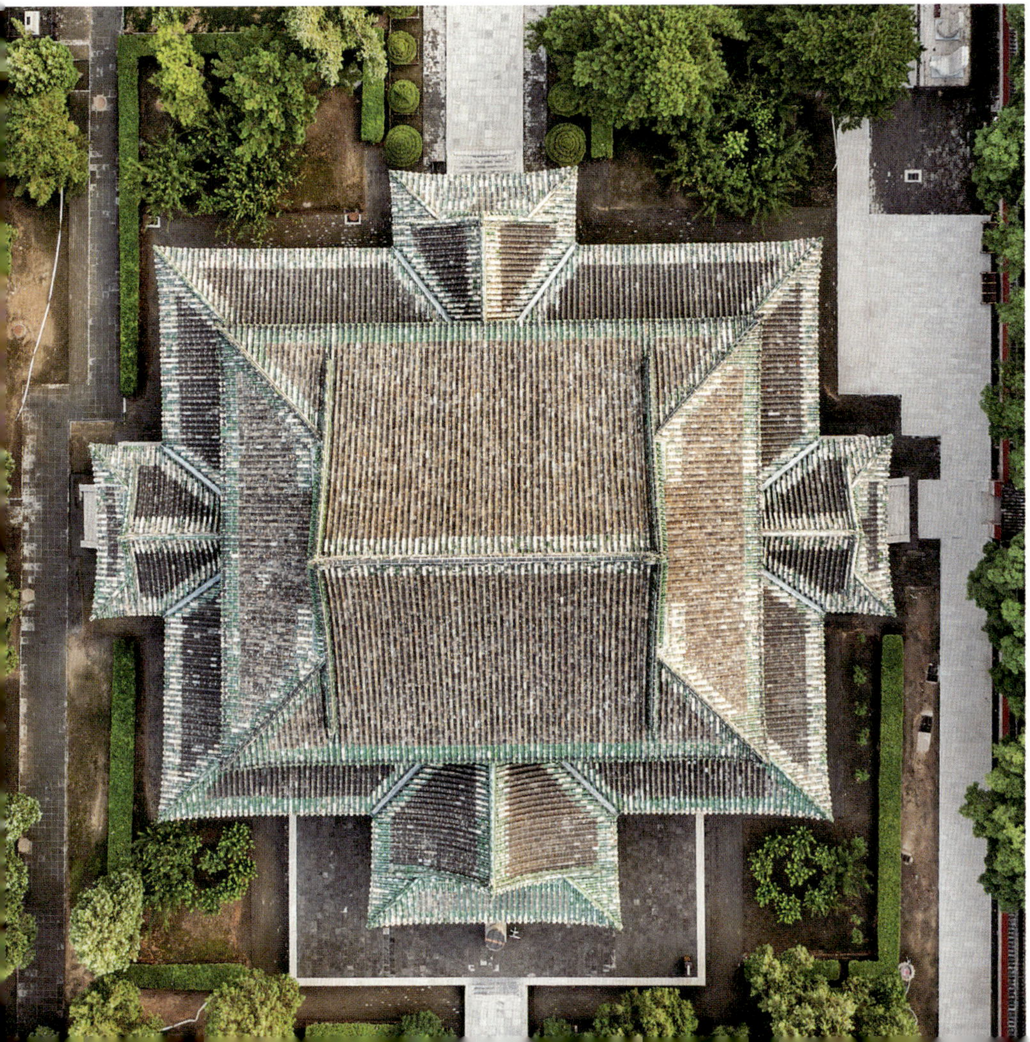

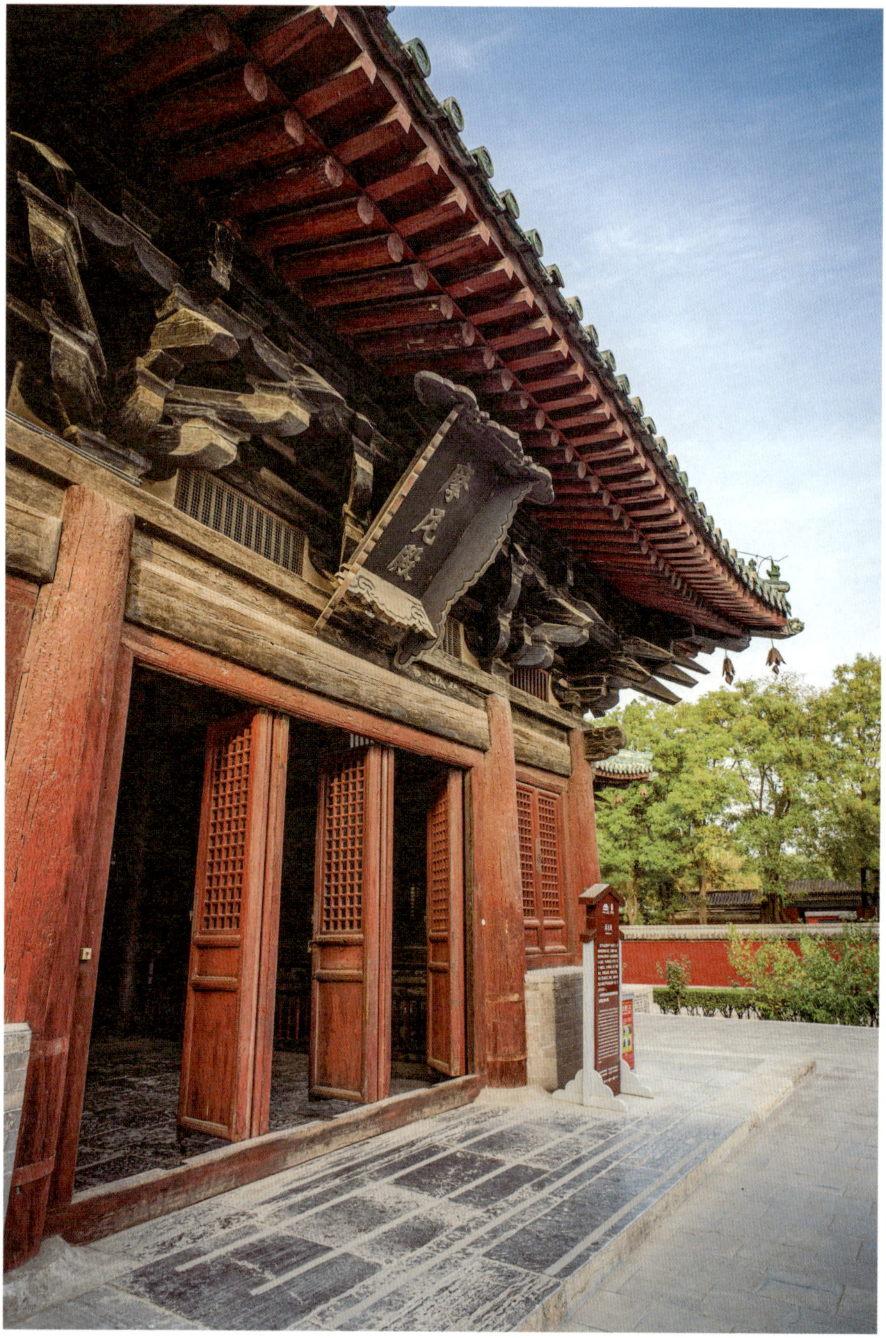
摩尼殿

摩尼殿整个屋顶加在一起有三十三条屋脊，呈现出起伏变幻的立体效果，极富美感。梁思成在《正定古建筑调查纪略》中赞誉："这种的布局，我们平时除去北平故宫紫禁城角楼外，只有在宋画见过，那种画意的潇洒，古劲的庄严，的确令人起一种不可言喻的感觉。"

那么，为了承托这样的屋顶，摩尼殿的柱网结构十分取巧。大殿用柱七十根，把室内空间分为内外，让大殿在符合营造法式的基础上，又增添了更多的室内布局可能性。

在摩尼殿上，斗拱得到了淋漓尽致的应用。

中国的斗拱一直是古建筑中标志性的一角。

在传统古建筑中，拱托着斗，斗托着拱，层层叠叠，组成中国古建筑中至美的元素。

越高贵的建筑，斗拱越复杂、繁华，从皇族专用到走向民间，斗拱看似平淡无奇，其实是整栋建筑中最复杂的构件。

◎ 左页图　摩尼殿／视觉中国　供图

◎ 右页图　开元寺钟楼／视觉中国　供图

正定还有一座了不起的古建筑，就是开元寺的钟楼，这是国内现存唯一的一座唐代钟楼建筑。

说开元寺钟楼是"一座"其实不准确，它的下层为唐代原物，上层是1989年依照下层的唐代风格复原修缮的。因此，它被定为"半座"唐构。

但这半座也已弥足珍贵。

木构建筑在防火和防腐方面存在缺点，保存千年以上都堪称奇迹。全国现存最古老的木构建筑均建于唐代，而且只有三座半。除了这半座，其余三座在山西。

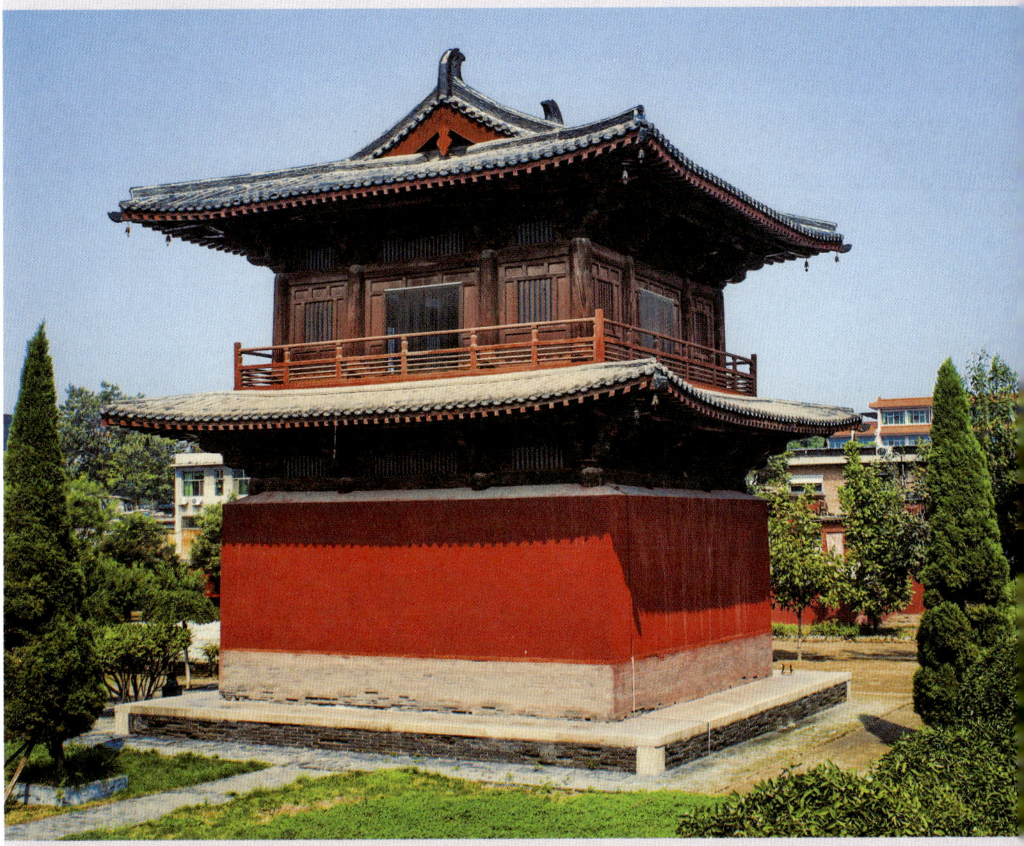

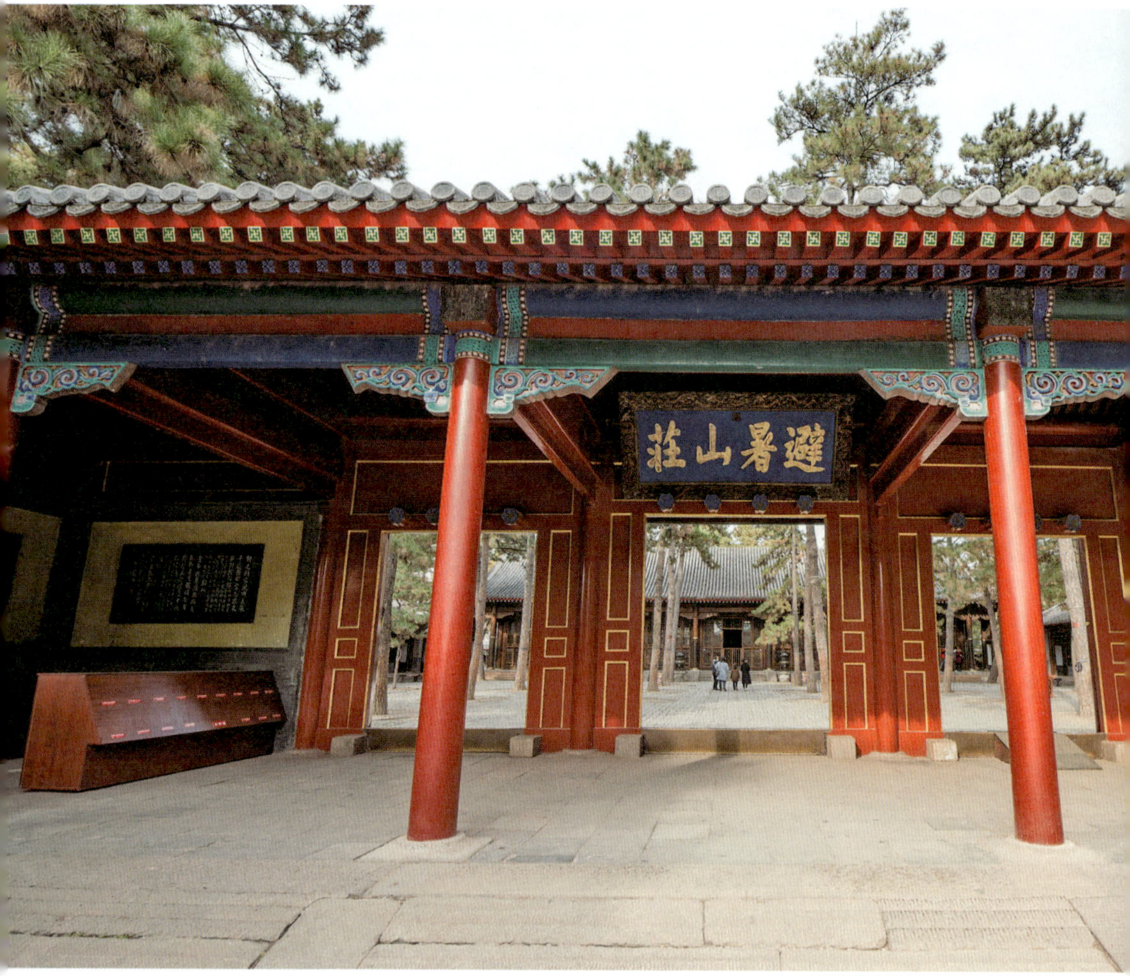
避暑山莊

叁 >> 园林之胜

说到河北的园林，承德避暑山庄是绕不过去的存在。

1677年，康熙皇帝在南方平定"三藩之乱"以后，把注意力转向北方，于1681年在距京师三百五十公里的翁牛特等蒙古族游牧的地方建立了木兰围场。为解决沿途的吃、住、休息及物资运输问题，1701年以后，陆续建立了热河行宫等二十多座行宫。

由于热河行宫处于北京与木兰围场的中间地带，地势好，气候宜，风景美，又直达清朝的发祥地，算是清皇帝家乡的门

◎ 左图　承德避暑山庄／视觉中国　供图

户,还可俯视关内,外控蒙古各部,于是这里成为众行宫之中枢,于1703年开始大规模修建。

这还不够,乾隆皇帝在1754年以惊人的奢侈之举用楠木改建了澹泊敬诚殿,后俗称楠木殿。大殿六百一十二平方米的空间由四十八根色泽沉黄发亮的金丝楠木立柱支撑,梁架、隔扇、天花板也全是金丝楠木。这样一座用稀世珍贵木材建成的高等级大殿,雕梁却不画栋,整座大殿只有一种色彩——原木色。

"朴素,天下莫能与之争美。"康熙皇帝这样总结澹泊敬诚殿的建筑意韵。

◎ 左页图　澹泊敬诚殿内景／视觉中国　供图
◎ 上图　澹泊敬诚殿／视觉中国　供图

　　承德避暑山庄分宫殿区、湖泊区、平原区、山峦区四大部分，相当于两座颐和园，分布着一百二十余组古建筑。我们中国古典园林讲究自然和谐，借助地势，因山就水，顺其自然。避暑山庄的宫殿区建筑朴素，苑景区自然野趣，殿与天然景观和谐地融为一体，达到了回归自然的境界。与京城故宫的黄瓦红墙、描金彩绘、堂皇耀目形成了鲜明对照。

　　避暑山庄西北高、东南低，这是融于自然的造园思想在选址和总体设计上的具体体现。山庄整体的地形地貌，恰是中国锦绣山河巨大版图的缩影。

◎ 避暑山庄烟雨楼／视觉中国 供图

◎ 避暑山庄金山亭／韩宏亮 摄

© 避暑山庄水心榭亭子 / 视觉中国 供图

© 避暑山庄普乐寺旭光阁 / 视觉中国 供图

1994年，承德避暑山庄被列入世界文化遗产，一起被列入的还有承德避暑山庄东北山麓、对避暑山庄形成拱卫之势的八座藏传佛教寺庙——外八庙。

登上外八庙之一普宁寺内一座八米多高的金刚墙，先向南望，再向北望，会发现两侧是两种建筑风格完全不同的建筑群。南望，是中轴对称的传统汉式佛寺布局。中轴线上是山门、天王殿、大雄宝殿，两侧是钟楼、鼓楼和东西配殿，飞檐斗拱，雕梁画栋。北望，是自由灵活的藏式风格佛寺布局。十几座藏式梯形盲窗、红白色调的平顶碉房、白台随山就势散落分布，簇拥着主体建筑大乘之阁。这就是普宁寺建筑布局上最突出的特征——汉藏合璧，这种将汉族、藏族、蒙古族、维吾尔族等各民族宗教建筑艺术风格融合的建筑形式，是外八庙建筑的共同特征。

◎ 右页图　普宁寺／龙彩银　摄

第三单元 传世古建

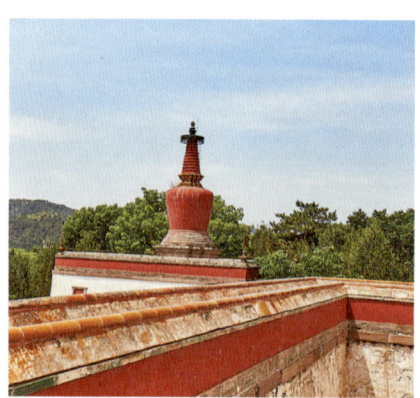

人文毓秀

◎ 左页上左图　普陀宗乘之庙红色喇嘛塔／视觉中国　供图
◎ 左页上右图　普陀宗乘之庙万法归一殿／视觉中国　供图
◎ 左页下图　普陀宗乘之庙／刘文东　摄

普陀宗乘之庙是外八庙中规模最大的一座庙宇，因仿拉萨布达拉宫而建，俗称小布达拉宫。

这座寺庙内殿堂楼宇星罗棋布，巧于利用地势和景物衬托，布局灵活，又不失庄严肃穆。主体建筑大红台金光闪闪，富丽堂皇，极其雄伟壮观。

避暑山庄及周围寺庙不论是造园还是建筑，都不仅仅是素材与技艺的单纯运用，而是把中国古典哲学、美学、文学等多方面文化的内涵融汇其中，使其成为中国传统文化的缩影。

肆 >> 装点了山水的古桥

赵州桥是世界闻名的石拱桥，又叫安济桥，矗立在赵县城南的洨河上，大约建于隋代开皇年间，由匠师李春设计建造。

该桥是世界上现存年代最久远、跨度最大、保存最完整的单孔坦弧敞肩石拱桥。

赵州桥改变了我国古代造桥半圆拱形的传统，采用了新潮的坦拱式结构。在赵州桥建成之前，我国的桥都是又高又圆，赵州桥却把桥面变得平坦，垂直度更低，实现了低桥面和大跨度的双重功效，更利于马车通行，而且还节约了用料，降低了成本，让施工更便捷。

赵州桥开启了敞肩桥梁的先河，直接给赵州桥带来了三个优势：节约材料，减少自重，增加泄流量。

更令人佩服的是，李春大胆地采用单孔设计来连接河面，跨径达到三十七米。这是我国桥梁建造史上的一项空前壮举。

◎ 右页图　赵州桥／视觉中国　供图

传世古建 第三单元

人文毓秀

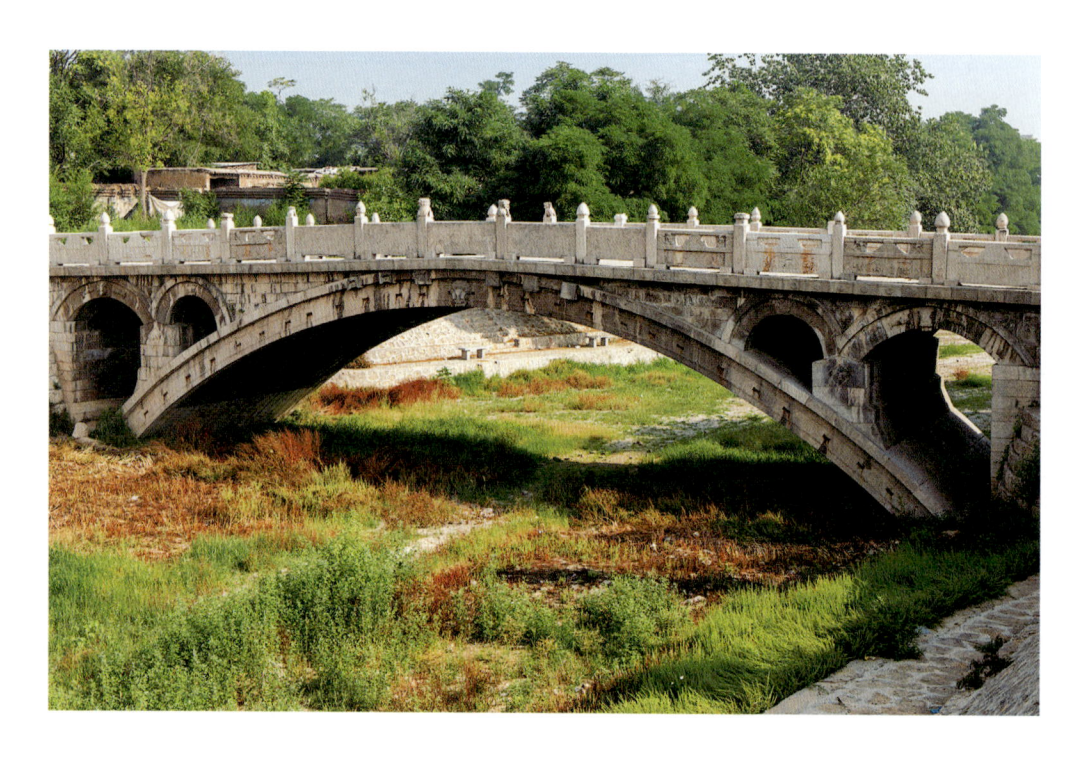

赵州桥还有一个姊妹，就是永通桥，坐落在赵县城西门外的清水河上，建于唐代，其建筑艺术风格和结构形式与赵州桥相近，只是规模略小，俗称小石桥。

它不仅具有赵州桥的所有优点，还与时俱进有了新的发展，大拱和小拱均大于赵州桥，桥面更加平坦，而且节省了石料，更利于泄洪。小石桥的桥墩、桥台处还雕有麒麟、飞马、飞天、金刚力士、太阳神等图案，刀法苍劲古朴，风格各异，在中国桥梁史上并不多见。

衡水的安济桥是河北境内现存的规模最大的古代石桥，每根柱顶都有形态各异的石狮，桥的东西两头、南北两侧各有一只较大的石狮，河水、石桥、狮子、明月构成"衡桥夜月"，是衡水八景中格外具有诗情画意的一处所在，堪与"卢沟晓月"媲美。

◎ 左页上图　永通桥/视觉中国　供图
◎ 左页下图　安济桥/张维胜　摄

弘济桥位于邯郸的东桥村，结构与赵州桥相似，石料以青色砂石为主，间或有花玉石，还有海底层积岩，这些石料上面有一些古生物化石，三叶虫和蛤螺等清晰可见。桥上的龙首、龙、凤、飞马等石雕形象逼真，活灵活现。券顶两侧还雕着巨大的吸水兽，坚固结实又美观大方。望柱的顶端有狮子、仙桃、猴子等形象，栏板上也刻有麒麟、猴子、桃、石榴和武松打虎等图案，十分精致好看。

　　说到桥上的石雕，就要提一座"数不清狮子的桥"——安国伍仁桥。这座桥建于明万历二十六年（1598年），是五孔石拱桥，立在桥南、桥北两处的四座一米多高的大型石雕狮子是此桥独具特色的艺术品，每座大石狮子身上都"爬"着数目不同、大小不同、神态不同的小石狮子，有的大如拳头，有的小如核桃，有的趴在大石狮子的背上，有的蹲在大石狮子的身边，有的和大石狮子挑逗戏耍，有的则只露出半个头。据说清朝末年，当地两家当铺的账房先生拿着算盘，带着伙计，多次到桥上清点小石狮子的数目，结果总是数目不一样，于是留下了"伍仁桥的狮子数不清"的有趣传说。

　　除此之外，河北还有几座奇特的桥。

◎ 右页图　弘济桥／芦延华　摄

传世古建 第三单元

遵化的五音桥两侧装有方解石栏板一百二十六块，因为都是取材于含铁量较高的铁矿石，

○ 五音桥／视觉中国 供图

敲击时能发出叮叮咚咚的悦耳声音，包罗古代声乐中宫、商、角、徵、羽五音，故名五音桥。

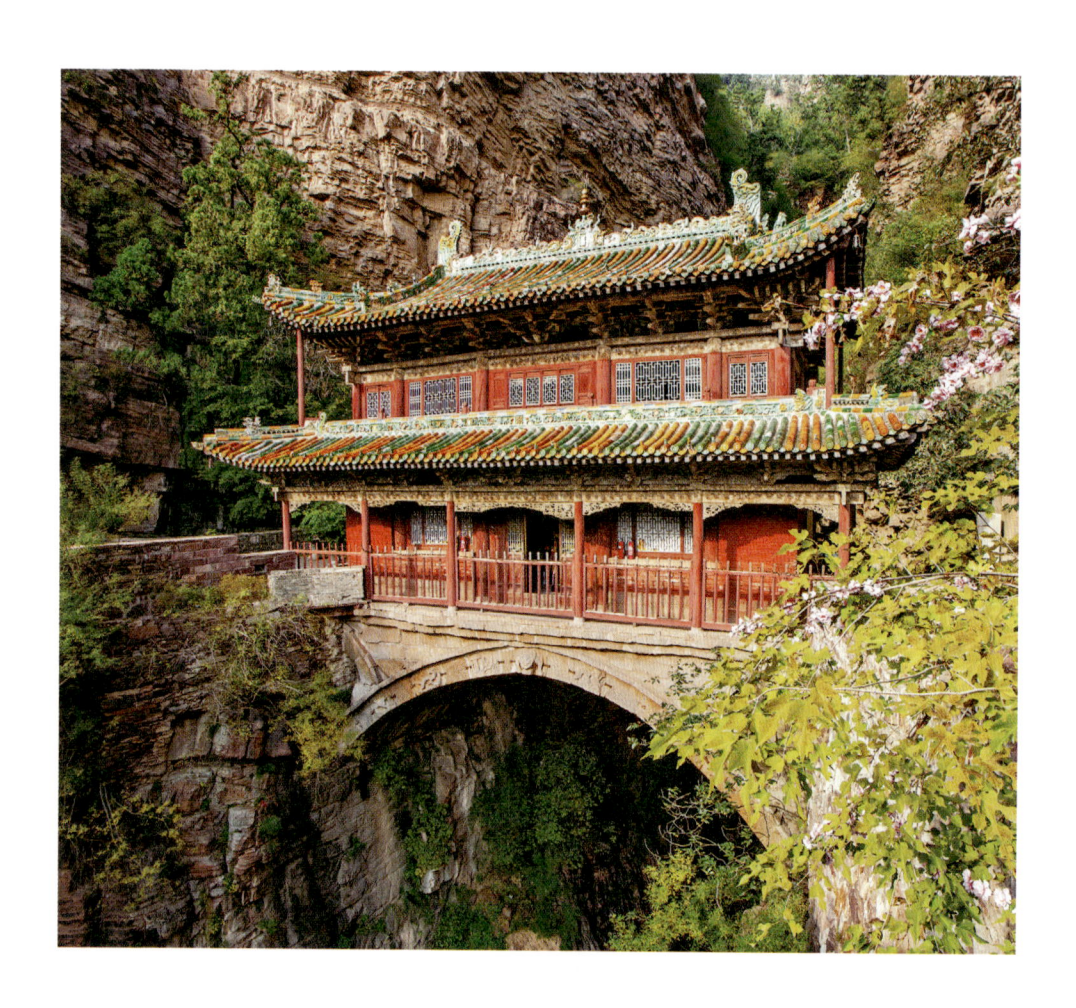

人文毓秀

苍岩山桥楼殿既是桥，也是殿——桥上建有庙殿，因此得名桥楼殿，它飞跨两座绝壁，横架百米深涧，飘然欲飞，势若长虹。置身桥上，恍若登上空中楼阁，若神若仙。由李安执导、摘得第73届奥斯卡奖四项大奖的影片《卧虎藏龙》的部分场景就是在这里拍摄的。

中国第一长石拱桥——涿州永济桥，坐落于京畿天下第一州古城北关，横跨拒马河上，造型优美，长如玉带，远望像一条彩虹横贯两岸，有"拒马长虹"的美誉。

沧州单桥，2012年被世界纪录协会认证为"世界最长的不对称石拱桥"，桥上的雕刻也十分精美，当地至今还流传着"三千狮子，六百猴，七十二统蛟龙碑"的赞美之词，是研究我国古代艺术的宝贵资料。

◎ 左页上图　苍岩山桥楼殿／视觉中国　供图
◎ 左页下图　涿州永济桥／视觉中国　供图
◎ 下图　沧州单桥／远中杰　摄

扫码听书

扫码看视频

第四单元

红色河北

壹 >> 播撒火种

河北平原的北面有个昌黎县，昌黎有座五峰山，被李大钊称为"人间奇境"，他在这里写出了中国近代第一篇较为系统、全面介绍马克思主义的文章《我的马克思主义观》，不仅为无数迷茫的青年指明了一条革命道路，更为中国共产党的创建提供了理论指导。

为把火种尽快传播出去，李大钊把目光投向了河北。

受他指派，年轻的北大学生罗章龙一路东行，风尘仆仆来到唐山，联系上京奉铁路唐山制造厂工人邓培，发展了河北第一位工人党员。邓培又在唐山发展了阮章、许作彬、田玉珍等人入党，建立了唐山地方委员会，这也是河北最早建立的党的地方委员会。

◎ 右页上左图　李大钊在《新青年》第6卷第5号发表《我的马克思主义观》／视觉中国　供图
◎ 右页上右图　五峰山李大钊像／视觉中国　供图
◎ 右页下图　唐山市乐亭县李大钊故居／视觉中国　供图

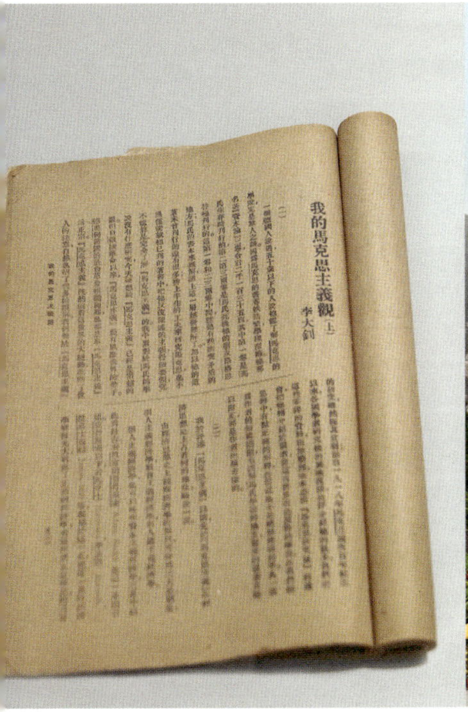
我的馬克思主義觀（上）
李大釗

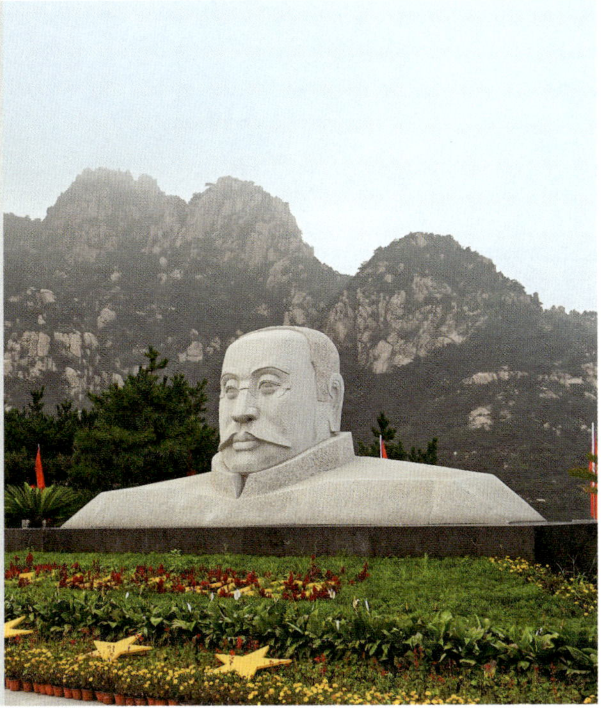

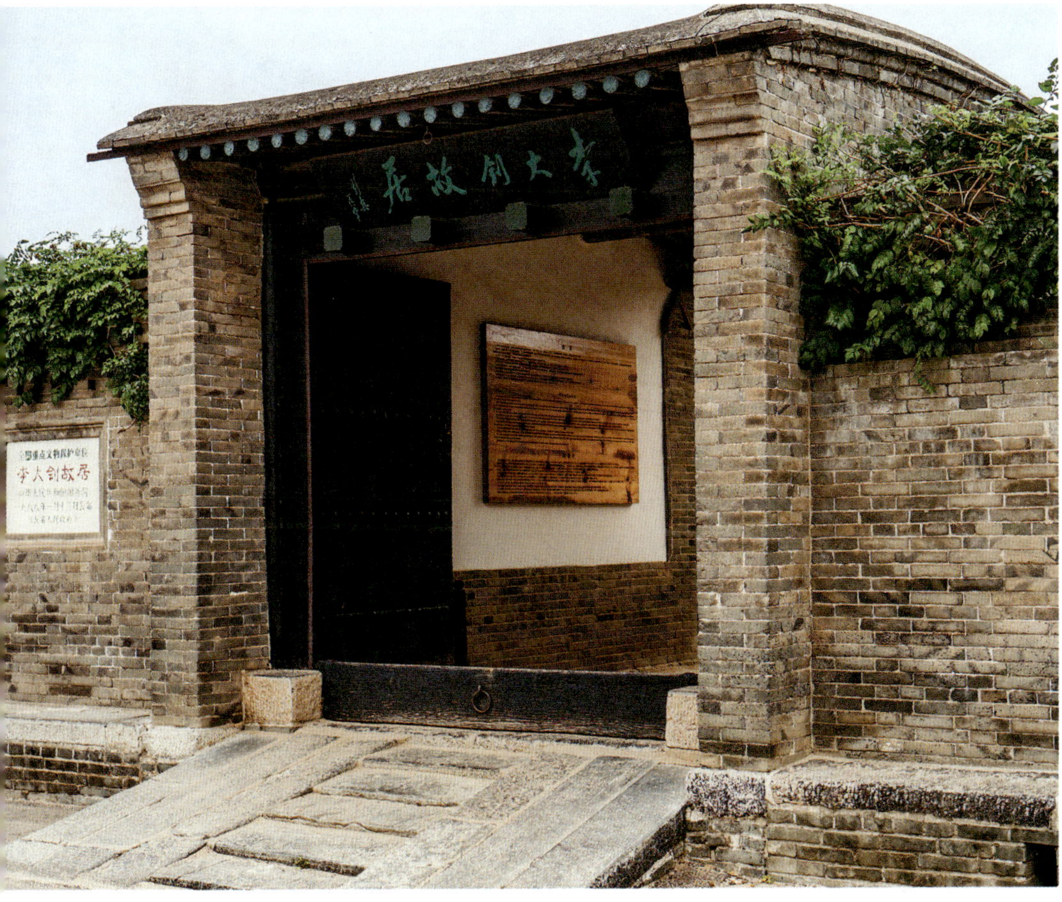
李大钊故居
全国重点文物保护单位
李大钊故居

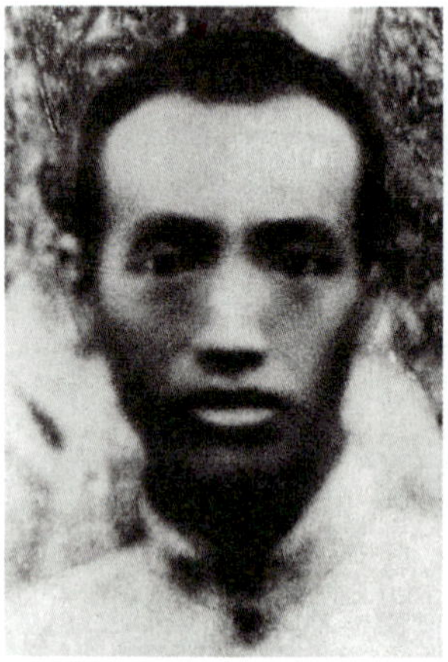

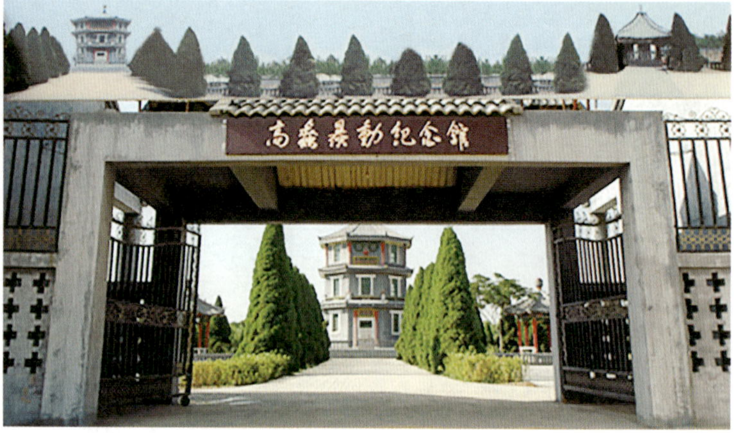
高蠡暴动纪念馆

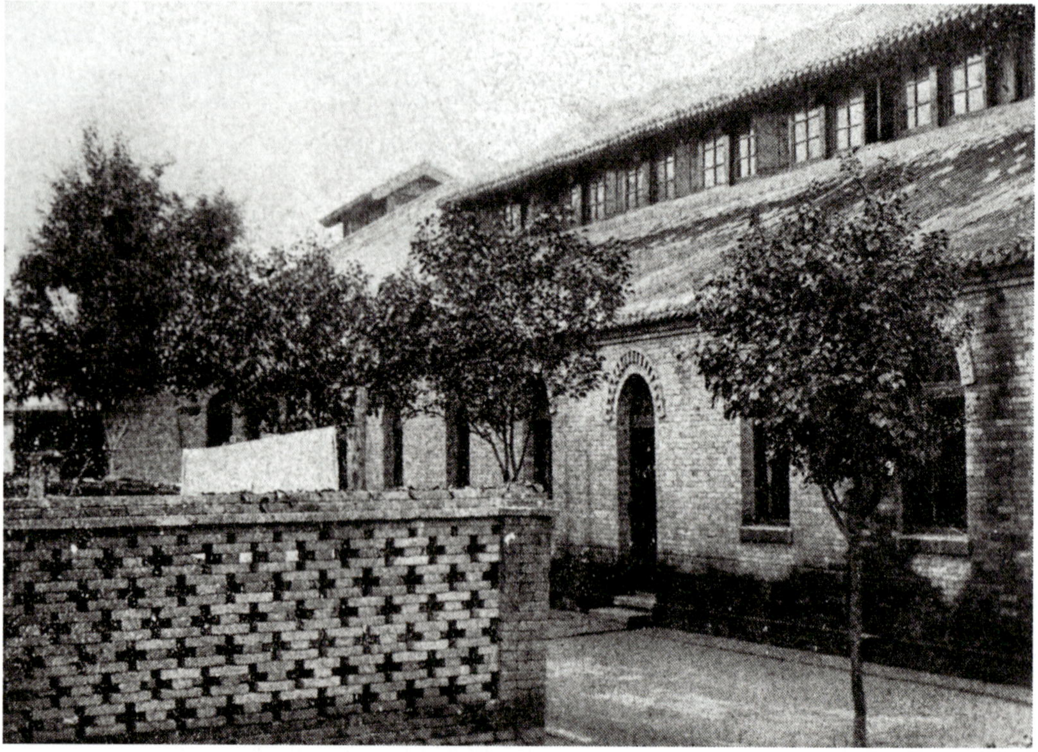

◎ 左页上左图　邓培／河北画报社　供图
◎ 左页上右图　高阳县高蠡暴动纪念馆
◎ 左页下图　保定育德中学礼堂／河北画报社　供图

受李大钊派遣到河北传播火种的不只罗章龙。

邓中夏在保定直隶省立高等师范学校通俗地讲解马克思主义的基本原理和基本观点,把革命的火种播进了学生心中。

何孟雄到保定育德中学任国文教员,在课堂上向学生公开讲解《共产党宣言》,创办夜校,领导工人大罢工,并取得了罢工斗争的胜利。

他们如同星星,点缀在广漠夜空,一点点地照亮了夜行人的路。

当这群年轻人带着火种从北京走向燕赵大地时,另一群热血青年正从全国各地聚集到保定高阳县布里村,并以这里为起点走向遥远的欧洲,去寻求救国救民的良方。

走入布里村，一切仿佛还停留在20世纪，留法工艺学校旧址的独特大门仍保留着建校之初的模样，上面是高耸的砖塔，寓意着"进取和希望"，下面是两个半圆形的扇面墙体，寓意着"团结和互助"，当地村民称这座中西合璧的建筑为"法国学堂"。

这所学校培育出了周恩来、邓小平、陈毅、蔡和森、钱三强、严济慈、张竞生、冼星海、潘玉良、焦菊隐等优秀学生。

但是，留法勤工俭学运动的第一所预备学校为什么会选在布里村？这就不得不提及高阳籍的李石曾先生。

◎ 下图　留法工艺学校旧址
◎ 右页图　留法勤工俭学运动纪念馆／汇图网　供图

李石曾是法国勤工俭学运动发起者之一，曾随清政府赴法学习，在巴黎开了一家中国豆腐工厂。1915年，他和蔡元培提出"勤于工作，俭以求学"，号召国内学子赴法留学，并回国筹备办学事宜。

　　两年后的夏天，李石曾到布里村看望好友，发现布里村文风很盛，便决定在这里办一个留法预备学校。1918年10月，蔡和森带领一批湖南学生来布里村学习，这些学生被编为南方班，由蔡和森任班主任；学生中颜昌颐、王人达、孙发力、唐灵运等人后来都成为中国共产党著名领袖人物，为中国北方、为高阳留下了珍贵的红色印迹。

　　河北是中国近代工业的摇篮，有开滦煤矿、山海关造船厂、唐山制造厂等大批近代工业企业，同时，京汉、京绥、京奉、津浦、正太等几条铁路也途经河北，河北矿山、纺织、铁路、码头等行业兴盛。产业工人的大量聚集和迫切的革命诉求，使河北成为中国共产党人率先建党的重要基地。党组织的相继建立和发展，推动了第一次工人运动高潮的兴起。

燕赵大地上的工人阶级彻底觉醒，在这之后，无论革命处于高潮还是低潮，他们的战斗从未停止。

一场又一场胜利激励着广大受压迫受剥削的民众，在革命者高高举起的火把映照之下，抬头挺胸，义无反顾地走上了反抗强权之路。

革命火种撒遍燕赵，反抗火焰处处燃烧。据不完全统计，仅1932年至1934年间，河北各大煤矿、纱厂、铁路和其他行业的工人，在党的领导下，罢工共二百零二次，人数达十六万余人。

当工人运动在河北大地漫卷之时，有一位河北人率先走向了更加广阔的天地。

他，就是弓仲韬。

弓仲韬是衡水市安平县台城村人，由李大钊介绍加入中国共产党，并受李大钊派遣回原籍传播马克思列宁主义。他办平民夜校、编平民千字文教材、建农会……1923年10月，安平县台城村特别支部成立，成为全国第一个农村党支部，开创了中国农村党建的先河。

沉睡的农民被一点点唤醒了。他们不再匍匐，不再跪拜，不再祈求，不再哀告，而是拿起各式农具，投入时代洪流，发出了震耳欲聋的呐喊。

◎ 左页图　弓仲韬／安平第一党支部纪念馆　供图
◎ 下图　全国第一个农村党支部纪念馆

贰 >> 全民抗战

阜平是太行山深处的诗意福地。

七七事变后,中共中央决定放手发动山地游击战,配合正面战场,建立敌后抗日根据地。

阜平得天独厚的地理条件使它成为创建根据地的绝佳选择。

群众基础深厚的阜平,使八路军很快扎根、壮大,成为模范根据地——晋察冀边区建立的起点,更成为整个河北敌后抗日根据地的起点。

当这片山区根据地迅速形成的时候,另一片平原根据地也即将建成。

1937年10月14日,一位秘密加入中国共产党的东北军军官在晋州小樵村举行抗日誓师大会,烧毁无线电密码本,断绝了同国民党部队的一切联系,加入了我军的作战

◎ 右页上图　阜平县城南庄晋察冀边区纪念馆／刘向阳　摄
◎ 右页下图　阜平县城南庄晋察冀军区司令部旧址／郭宪芳　摄

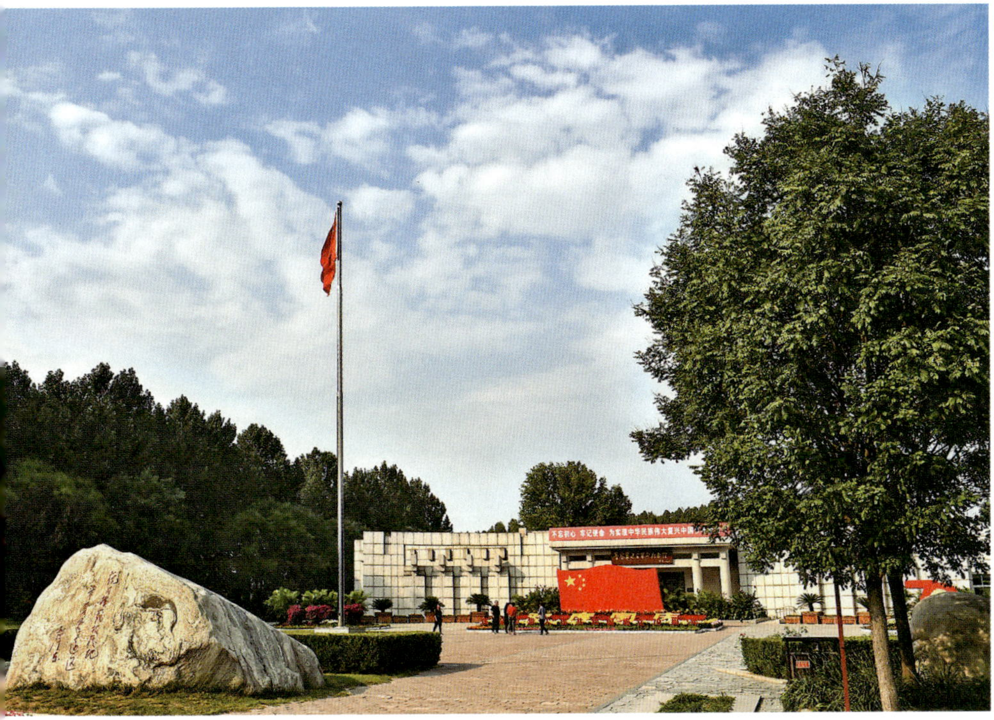

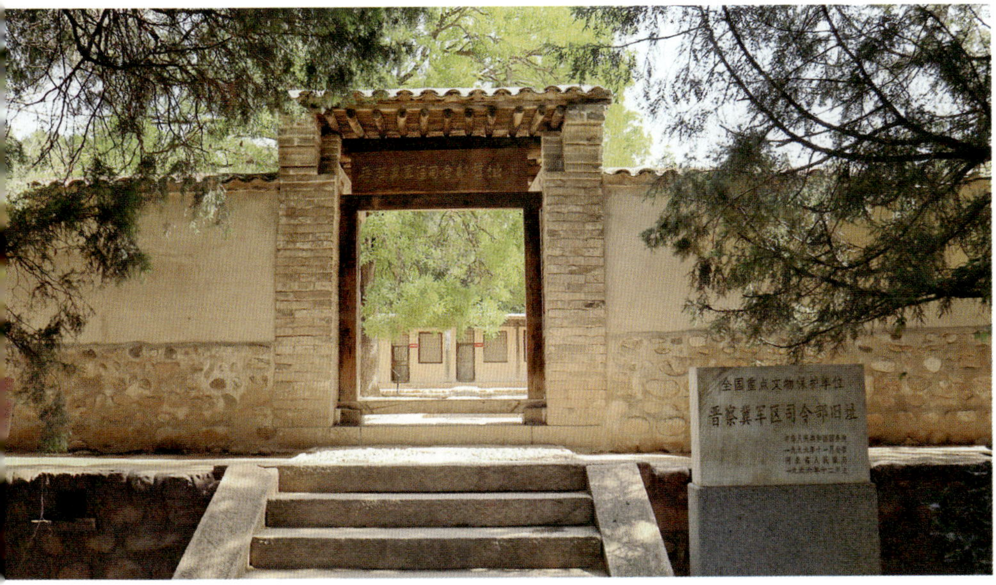
全国重点文物保护单位
晋察冀军区司令部旧址

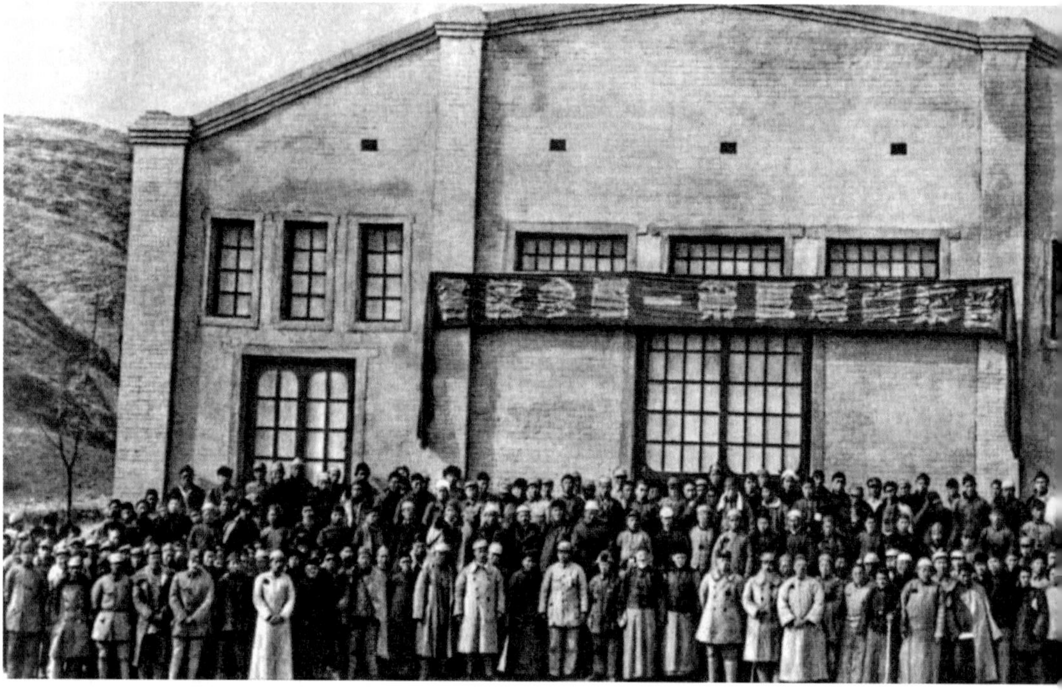

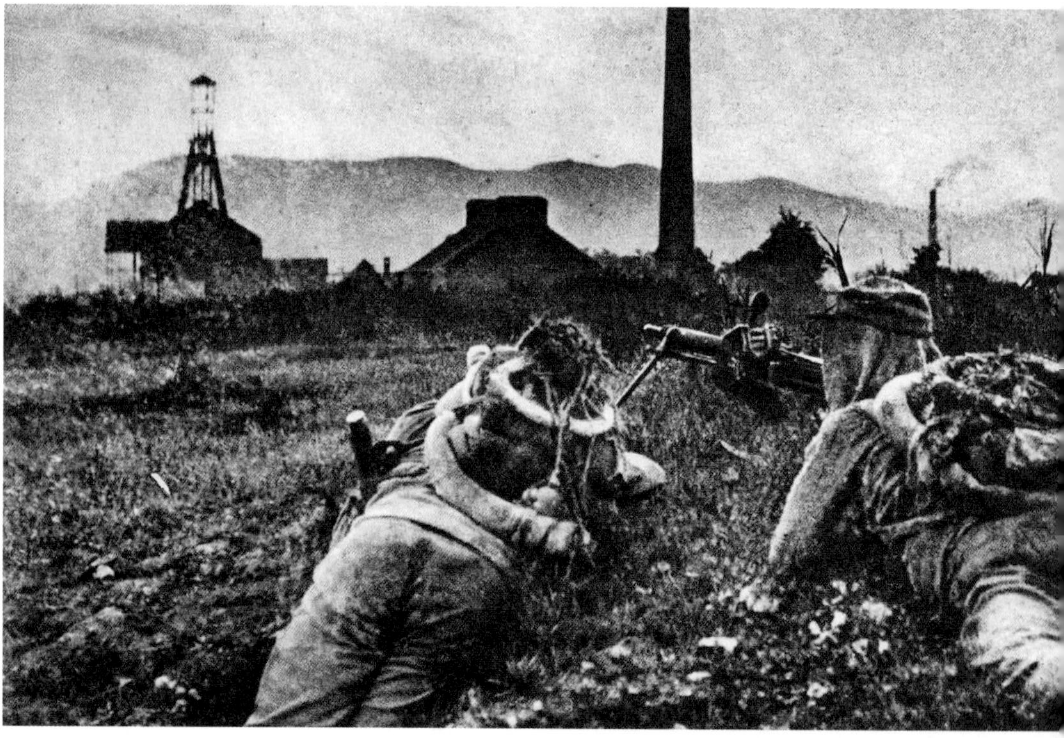

◎ 左上图　晋察冀边区第一届参议会在阜平隆重开幕／安平第一党支部纪念馆　供图
◎ 左下图　百团大战中，晋察冀军区部队向井陉矿区日军发起攻击／河北画报社　供图

序列。这就是改变了冀中抗日格局的"小樵改编"，这位军官就是后来的开国上将吕正操。

很快，晋察冀边区政府成立，不久，冀中军区成立，冀中平原抗日根据地形成。

晋察冀边区抗日根据地连成一片，被誉为"敌后模范的抗日根据地及统一战线的模范区"，在中国革命历史中占有极其重要的地位。黄土岭之战、齐会战斗、大龙华战斗、陈庄战斗以及著名的百团大战……八路军在华北地区牵制着日军约十三点五个师团三十万人的兵力。

◎ 右页上图　一二九师司令部旧址／郭宪芳　摄
◎ 右页下左图　赤岸村／视觉中国　供图
◎ 右页下右图　将军岭／昵图网　供图

我们屹立在五台山、太行山、恒山、燕山，旌旗指向长白山；

我们驰骋在滹沱河、永定河、潮河、滦河，凯歌高奏鸭绿江。

聂荣臻元帅的这副对联，清晰地表现出晋察冀根据地的重要意义。

在太行山南部，涉县赤岸村，八路军一二九师司令部所在地，有一处叫作"将军岭"的无名小山。1986年，开国元帅刘伯承逝世后，家人遵照其遗嘱，将刘伯承元帅部分骨灰安放在这里。随后，开国元帅徐向前、开国上将李达等二十位老首长逝世后，相继将骨灰安放于此，这座山由此得名。

抗日战争全面爆发后，八路军一二九师东渡黄河，挺进华北，创建以太行山为依托的敌后抗日根据地。

1940年5月底，在师长刘伯承、政委邓小平等率领下，一二九师司令部从山西迁驻涉县常乐村，同年12月4日迁驻涉县赤岸村。

红色河北 第四单元 149

随着冀南、晋冀豫等根据地相继开辟、巩固与壮大，连成一片，广义上的晋冀鲁豫抗日根据地形成。

河北，这片广袤的红色土地，抗战时期地跨晋察冀、晋冀鲁豫和山东三大根据地，为巩固发展敌后抗日根据地提供了坚实的支撑。

2020年9月，国务院公布第三批国家级抗战纪念设施、遗址名录，位于峰峰矿区山底村的冀南山底抗日地道遗址位列其中，这是继清苑冉庄地道战遗址后，我省被列入该名录的第二处地道遗址。从地处太行山南段东麓的山地平原过渡地带到沃野千里的冀中平原，两处地道遗址相

◎ 上图　人民武装自卫队／沙飞　摄

距三百多千米，足见地道战之普遍。

除了地道战，还有麻雀战、地雷战、破袭战、水上游击战……根据地军民因地制宜，创造了丰富多样的游击战，在燕赵大地留下了独特的人文历史景观。

敌后根据地除了主力部队，还有军区武装。各县都有县大队，区有区小队，各村青壮年参加青救会、青年抗日先锋队等民兵组织，妇女有妇救会，儿童有儿童团。每个年龄段的群众，都加入了不同的组织，各司其职，形成了一个严密的联防体系。

叁 >> 燕赵热血

1. 全面支持抗战

从1940年7月到1941年4月底,先后有六十二万名民兵穿越敌人封锁线,靠车拉肩扛运送了两千万斤军粮,一百六十余人为运粮献出了宝贵的生命。

冀中大运粮极大地改变了边区的物质条件,保证了主力部队的行动,也为后来的百团大战提供了粮食保证。

这些以命相搏把粮食送往前线的民众都没留下名字,他们默默无名,但他们完成了一项又一项壮举,以群体的荣誉活在了历史之中。

河北,是除东北三省外遭受日本帝国主义侵略摧残时间最长的地区,却也是日军始终未能彻底征服的地区。

日军掠夺资源的计划经常被破坏，日军所占的城镇和交通要道的设施经常被攻击，神出鬼没的游击战让日军日夜难安、疲于奔命。

河北这片土地，横亘在东北与华中之间，始终与盘踞在东北的侵华日军兵锋相接，令日军南下进犯难以推进。据不完全统计，日寇对关内中共抗日根据地万人以上兵力的"大扫荡"有五十次左右，其中三分之二以上涉及河北。1941年秋季，日军对晋察冀北岳区和平西区进行了"铁壁合围大扫荡"，这是抗战进入相持阶段日军在华出动兵力最多的一次战役，时任日军华北方面军司令的冈村宁次在日记里写道："我们以65%以上的兵力对付共产党，以35%的兵力对付国民党……"晋察冀军民迅速集中力量开展袭击、伏击和追击作战，有力打击了敌人，粉碎了日军摧毁北岳、平西抗日根据地的企图。

燕赵儿女以热血浇灌热土，沃了中华。

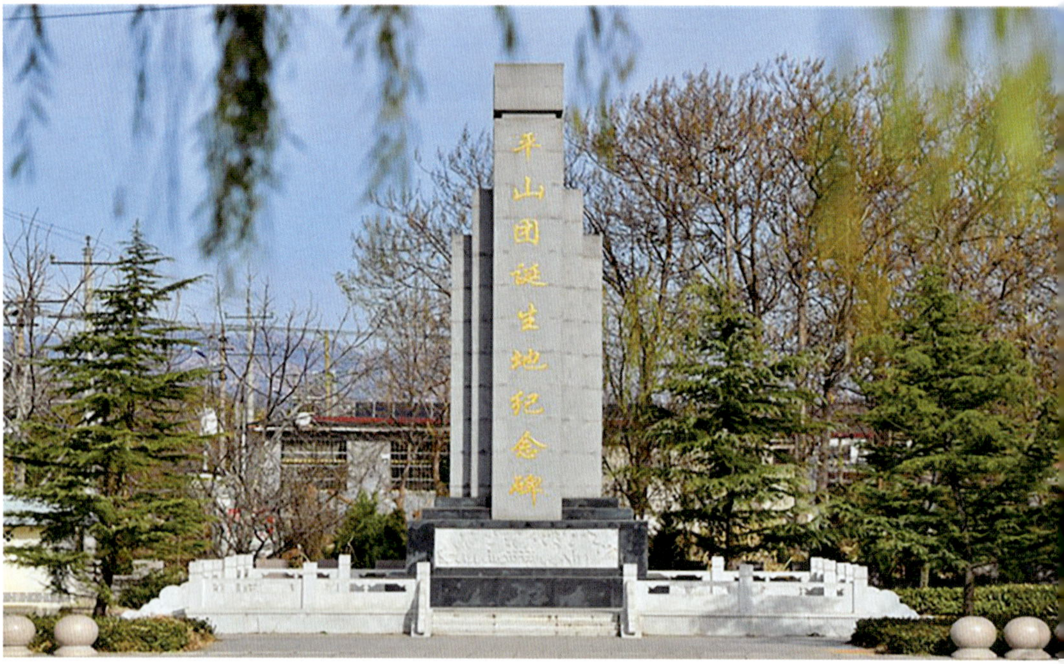
平山团诞生地纪念碑

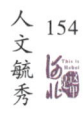

2. 赫赫平山团

在中国抗战史上，有这样一支大名鼎鼎的部队，他们在抗日烽火中快速成长、英勇作战，被誉为"太行山上铁的子弟兵"。这支部队与众不同，有很多父子兵、兄弟兵、亲戚排，筋骨相连，血脉相通，他们点名时不按连、排、班，而是用村名。从成立到解放战争胜利，他们征战地域之广、路途之远，都为全军之冠。提起西柏坡，提起南泥湾，乃至"我党历史上的第二次长征"和新疆生产建设兵团，都离不开这个响当当的部队代号——平山团。

平山，风景优美、人文灿烂，坐落在巍巍太行里、滔滔滹沱边。

1937年7月7日，卢沟桥事变爆发后，日军沿平汉、同蒲和平绥铁路大举西侵。八路军迅速渡黄河东进，在山西前线投入对日作战。同年10月，为了扩编作战部队，王震派出一个三百人的"战地救亡团"来到平山县洪子店镇，张贴扩军布告，"抗日救国、人人有责""参加八路军，赶走小东洋"的口号响彻了平山的深沟大梁。

很快，一队队农家子弟结伴而行，涌向洪子店。东

◎ 左页图　平山团诞生地纪念碑

黄泥、西黄泥、南庄、北庄、西柏坡、朱豪、唐家沟、朱家沟、秘家沟、上文都、下文都、中古月、南古月、北古月、岗南、田兴……一个个村庄里，走出了一位位英雄。

抗战期间，一个县的子弟集体参军，并组成一个主力团的，仅此一例。这是平山百姓的巨大付出。他们承受失子丧夫之痛，很多村子烈属家庭超过了一半。

更为残酷的是，日军对平山恨之入骨，进行了三十多

次大规模屠杀，至少一万四千名群众被害，流离失所者更是不计其数。平山籍音乐家曹火星参军后，随部队转战到京郊，接到了父亲被日军杀害的消息，他带着满腔的悲愤和誓死抗敌的决心，在1943年9月写下了歌曲《没有共产党就没有中国》（后由毛泽东改为《没有共产党就没有新中国》）。

屠杀吓不倒平山人，一个个"孝帽子连""孝帽子

◎ 左页图　曹火星纪念馆／汇图网　供图
◎ 下图　曹火星雕像／汇图网　供图

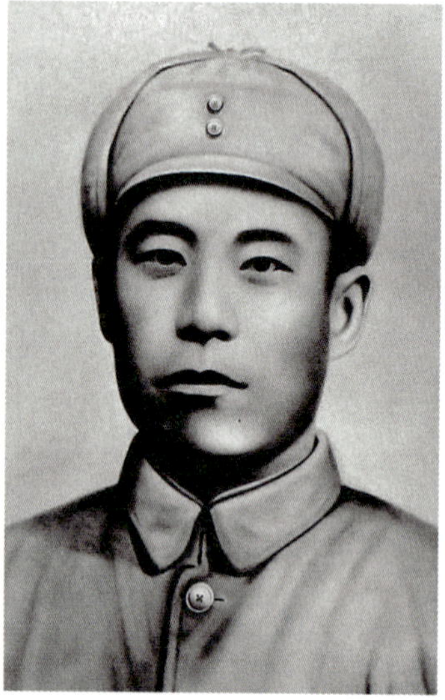

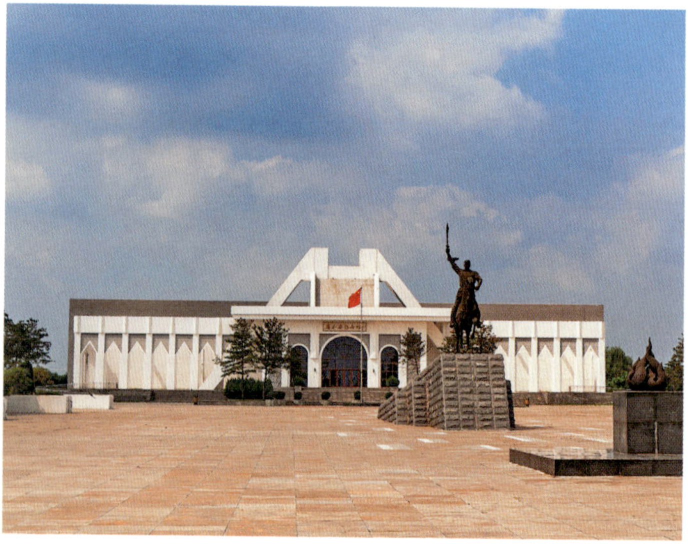

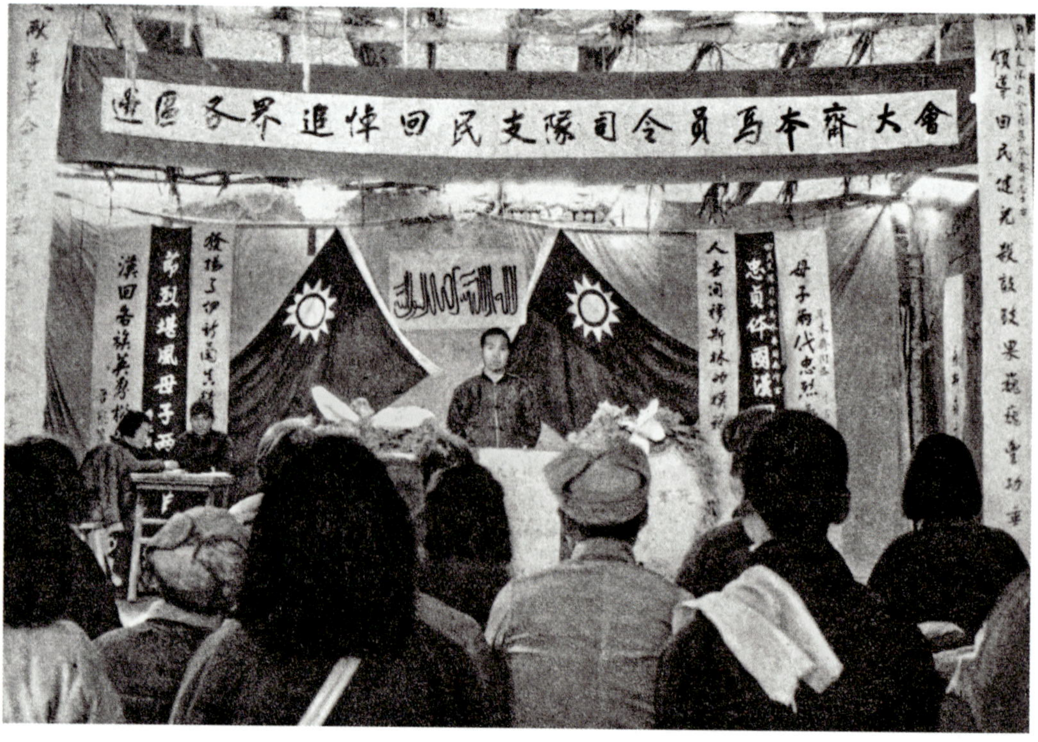
邊區各界追悼回民支隊司令員馬本齋大會

◎ 左页上左图　回民支队司令员马本斋／河北画报社　供图
◎ 左页上右图　马本斋纪念馆／远中杰　摄
◎ 左页下图　晋察冀边区各界追悼回民支队司令员马本斋大会／河北画报社　供图

队"走出山村，源源不断地加入八路军。催人泪下的《拥军小唱》正是平山人的真实写照："最后的一碗米用来做军粮，最后的一尺布用来做军装，最后的老棉被盖在担架上，最后的亲骨肉送去上战场……"正是这种坚忍和反抗精神彰显着中国脊梁的不屈风貌，让平山成为不折不扣的"晋察冀抗日模范县"。

平山团这个由平山男儿组成的队伍，转战太行山，屯垦南泥湾，南征北返，继而挺进大西北、驻扎新疆戍边垦荒……他们中有人血洒太行山，有人牺牲在南征北返的途中，有人倒在解放大西北之路上，大部分人再也没能回到故乡平山。

从河北大地走出来的不仅仅是平山团，还有阜平营、灵寿营、回民支队等。

他们用无限的忠诚，以碧血浇灌热土，在中国革命、中国军队的历史长卷中写下了不朽篇章。

肆 >> 共和国从这里走来

　　元氏县只是河北省中南部的一个普通小县。然而，若放眼当时的华北解放全局，这个小县的解放却极不普通。

　　1947年11月12日，历时六天六夜的石家庄战役终于结束，大片解放区连成一片，方圆千里，只剩下元氏孤城一座。

◎ 下图　石家庄解放纪念馆／视觉中国　供图
◎ 右页图　石家庄解放纪念碑／刘斧修　摄

红色河北　第四单元

当时的元氏城墙是用石头砌的，有三四层楼那么高，城外一马平川、地域开阔，解放军可以利用的地形地物几乎没有，敌军却是城高石坚，负隅顽抗。经过半个月的殊死搏战，元氏城宣告解放，拔掉了敌人在冀西的最后一个顽固据点，打通了保定至安阳的平汉铁路线，使冀西、冀南、冀中解放区连成了一片。

沿着新修成的太行红色高速，从保定阜平到平山西柏坡一小时路程即到。但当年中国共产党从在阜平创建第一个敌后抗日根据地到党中央进驻西柏坡，却整整走了十一年。

1948年5月，毛泽东等领导人从陕北出发渡过黄河，来到了西柏坡。

◎ 左页图　西柏坡纪念馆/视觉中国　供图
◎ 上图　西柏坡廉政教育馆内景/视觉中国　供图

　　从此，西柏坡正式成为中国革命后期最为重要的一处指挥所，与中国革命的前途命运紧紧联系在了一起。

　　七十多年过去了，如今的西柏坡依然山明水秀松柏苍翠，作为革命圣地，全国各地的参观者来这里追寻红色印迹，接受爱国主义教育，西柏坡纪念馆里的一张张照片、一件件文物都在讲述那段艰苦奋斗慷慨激昂的岁月，一遍一遍地诉说着中国革命在此发生的伟大转折……

　　如果把解放战争比作一支无比宏阔的交响乐，那么，华北人民政府的成立就是雄浑的前奏，为即将到来的高潮积蓄力量。

◎ 航拍西柏坡／视觉中国　供图

红色河北　第四单元

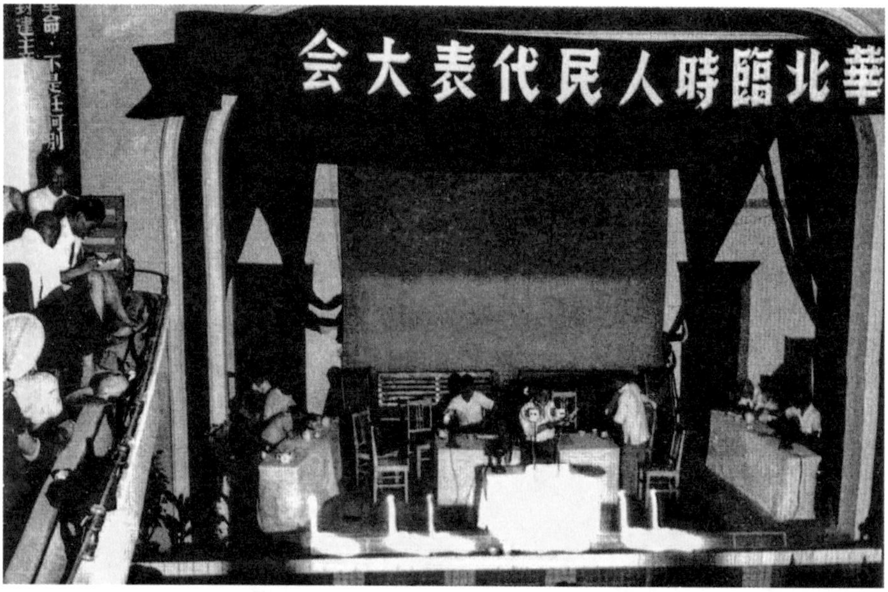
華北臨時人民代表大会

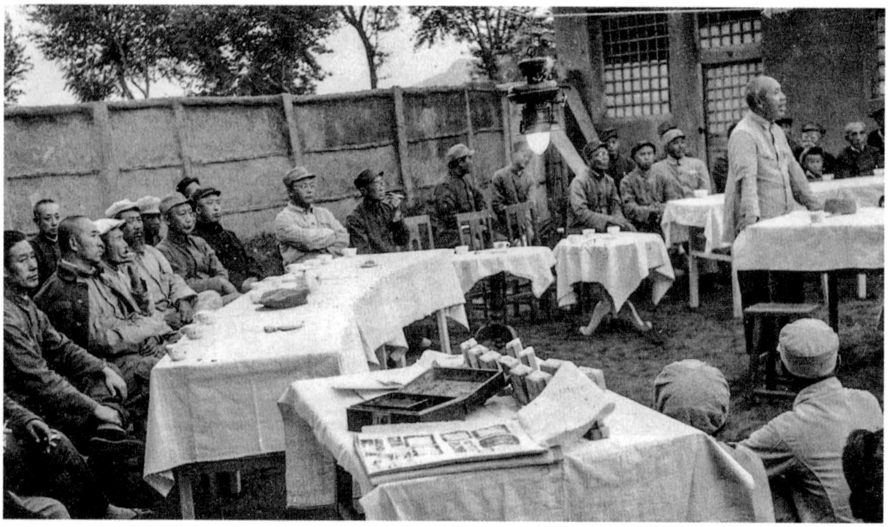

平山县的王子村，有华北人民政府的旧址。王子村的民居始建于20世纪二三十年代，大部分为平顶房，以三合院、四合院为主。华北人民政府各部门就零散分布在民居内。漫步这些旧址，那些长满青苔的青砖瓦房和雕着美丽图案的窗棂，无不向我们讲述着那段激情燃烧的岁月。

"务必使同志们继续地保持谦虚、谨慎、不骄、不躁的作风，务必使同志们继续地保持艰苦奋斗的作风。"毛泽东同志的"两个务必"至今仍影响着我们。

华北人民政府被誉为"共和国的雏形"，它调动一切人力、物力、财力，完成了华北区的统一和支援全国解放战争的任务，为新中国的政权建设和经济建设摸索、积累经验，为中央人民政府的成立做了政治上、思想上和组织上的准备。

◎ 左页上图　1948年8月7日，华北临时人民代表大会在石家庄召开／河北画报社　供图
◎ 左页下图　1948年9月20日，华北人民政府在平山王子村召开第一次委员会会议。图为董必武在9月26日就职典礼上讲话／河北画报社　供图

■伍 >> 后方支援力量■

  解放战争时期，曾有一条军工运输大动脉为我军夺取淮海战役的胜利立下汗马功劳。它就位于邯郸与涉县之间，名叫邯涉铁路。如今，邯涉铁路已经不复存在，但在中国共产党的铁路修建史上，它却具有里程碑式的意义。它不仅是中国共产党领导修建的第一条铁路，也是军民白手起家、艰苦奋斗的一个壮举。

◎ 上图
河北解放区支前船队破冰运粮支援前线／河北画报社　供图

太行山巍峨险峻，山高沟深，一些地段的水文地质非常复杂。与此同时，晋冀鲁豫边区没有科技人才、筑路技术、钢材水泥，也没有制空权，修筑铁路难度极大，在续修冶陶至乱石岩段时，横亘在涉县鸡鸣铺与偏店段的尖饼岭是阻隔山西、河北的一座大山，又是进出根据地腹心涉县的必经之路。为移开尖饼岭，涉县出动民工十五万人次，开山劈岭，平沟填壑，车拉人抬运送枕木。各县民兵分批开进尖饼岭，县委书记、县长深入工地第一线，民兵团、营、连、排、班立下军令状，开展了轰轰烈烈的挖山运动。

修路过程中，边区人民做出了重大牺牲。"边区人民修筑的这条'栈道'，传奇般地将黄色炸药运往淮海前线，若晚十分钟，炸药跟不上，黄维就会跑掉。"歼灭黄维兵团后，刘伯承北上西柏坡路过邯郸时曾动情地说。

邯涉铁路在支前运输、沟通物资交流方面发挥的巨大作用，以及边区人民在修筑中的艰苦创业精神，将永载共和国的筑路史册！

河北作为战略大后方，在解放战争中对前线可谓是"倾家荡产"式的支援，仅平津一次战役冀中区动员组织的支前民工、民兵即达二百一十五万人。1949年1月至3月，华北人民政府除担负南线、西线、北线战争运输外，最紧迫浩大的工作是抢修三大干线（平汉、平大、津浦公路）。时值旧历年关，地冻天寒，雪花纷飞，长达两万零九百九十二千米的公路干线，沿线数十万群众只用了两个月即完成通车，为保证百万大军顺利南下创造了条件。

河北的干部输出贯穿了整个解放战争时期，是解放战争时期调干频次和调干人数最多的省份之一。1945年8月，河北两千五百余人随军挺进东北；1947年，大批河北籍干部战士又随刘邓大军挺进大别山，其后中央又于1948年从冀中、冀南等地南调干部数千人；渡江战役开始，很多河北籍干部随中国人民解放军南下长江以南诸省区。这一阶段，干部南下规模更大，数量更多，最后达到两万多人。

"疾风知劲草，板荡识诚臣"，燕赵之风自古一脉相承。

一代又一代燕赵儿女前仆后继，在中华历史上留下了浓墨重彩的赤诚与大爱！

红色热土，英雄河北！

扫码听书

扫码看视频

第五单元

冀撷景英

柏林禅寺

◎ 左页上图　柏林禅寺藏经楼／视觉中国　供图
◎ 左页下图　柏林禅寺普光明殿／视觉中国　供图
◎ 右图　柏林禅寺山门／视觉中国　供图

柏林禅寺，中国著名佛教禅寺，是北方佛教的一座重镇。坐落在赵县县城东南角，与"天下第一桥"赵州桥遥遥相望。它最早建于汉献帝建安年间。历史上有很多高僧都曾在柏林禅寺修行，如唐朝的赵州禅师、宋代的归云老人等。

姜女庙

姜女庙，又名贞女祠，坐落在秦皇岛市山海关以东的凤凰山上，是省级文物保护单位。此庙根据孟姜女哭倒万里长城八百里这一中国民间传说修建。建成于明万历二十二年（1594年），清代重修。

◎ 右页上图　姜女庙天下第一奇联／视觉中国　供图
◎ 右页中左图　姜女庙"碧溪贞宇"木牌坊／视觉中国　供图
◎ 右页中右图　姜女庙山门／视觉中国　供图
◎ 右页下图　姜女庙孟姜女雕像／视觉中国　供图

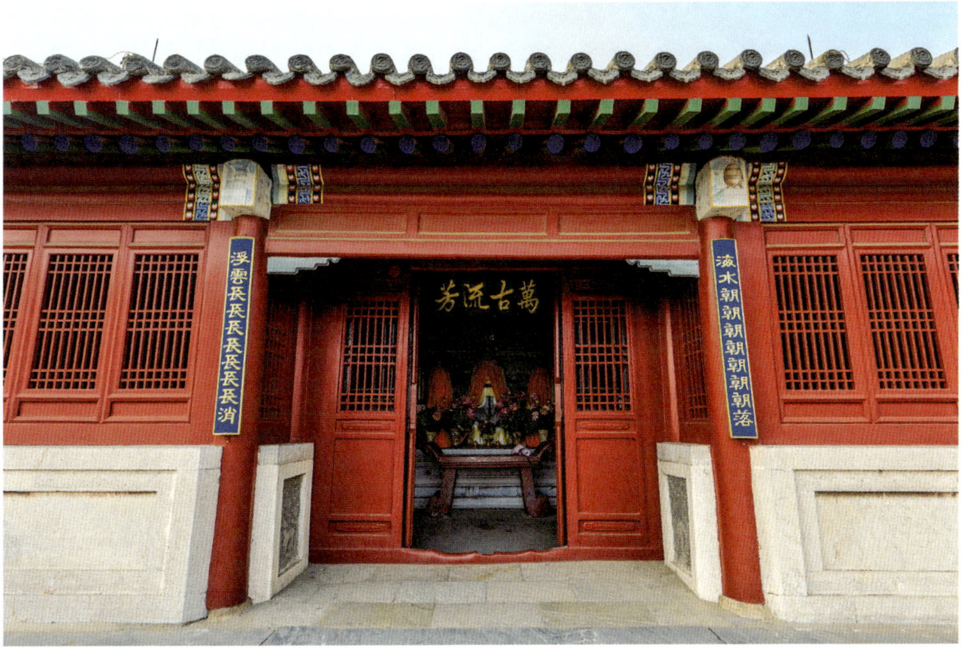
萬古流芳
浮雲長長長長長長長消
海水朝朝朝朝朝朝朝落

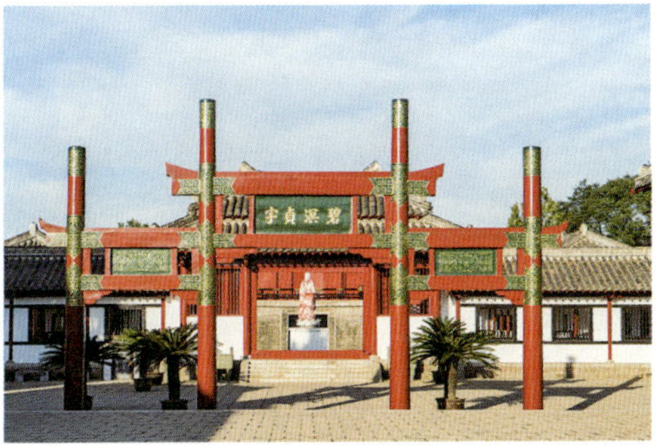

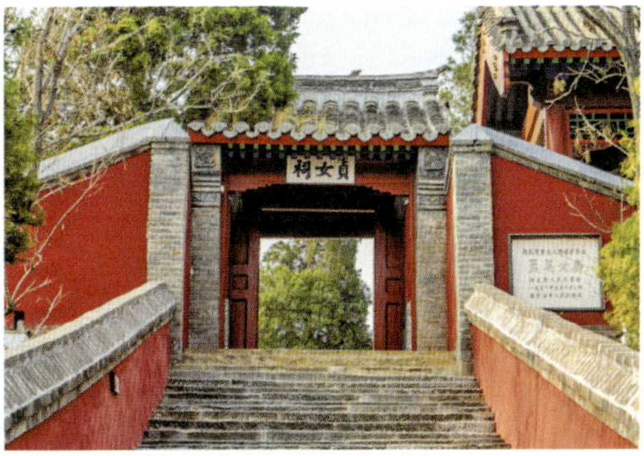
貞女祠

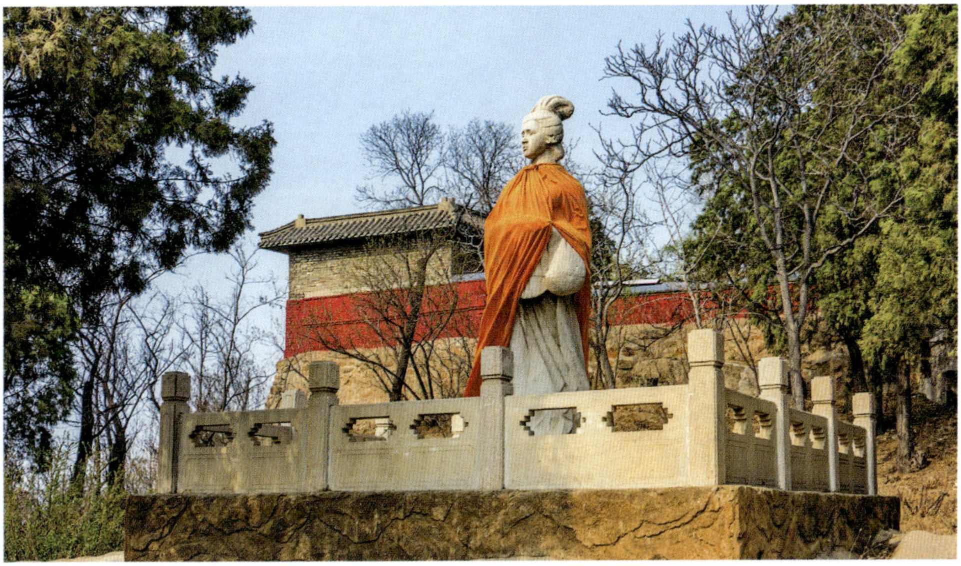

丛台公园

◎ 下图　丛台公园 / 视觉中国　供图
◎ 右页图　丛台公园俯瞰图 / 视觉中国　供图

丛台，又名武灵丛台。丛台公园是以其为中心开辟成的一座大型历史文化公园，位于邯郸市市中心，是国家重点公园。相传丛台建于战国赵武灵王赵雍时期，是赵武灵王检阅军队与观赏歌舞之地。现存古台雄伟壮观，是明清以来的修复建筑。武灵丛台是赵都历史的见证和古城邯郸的象征。

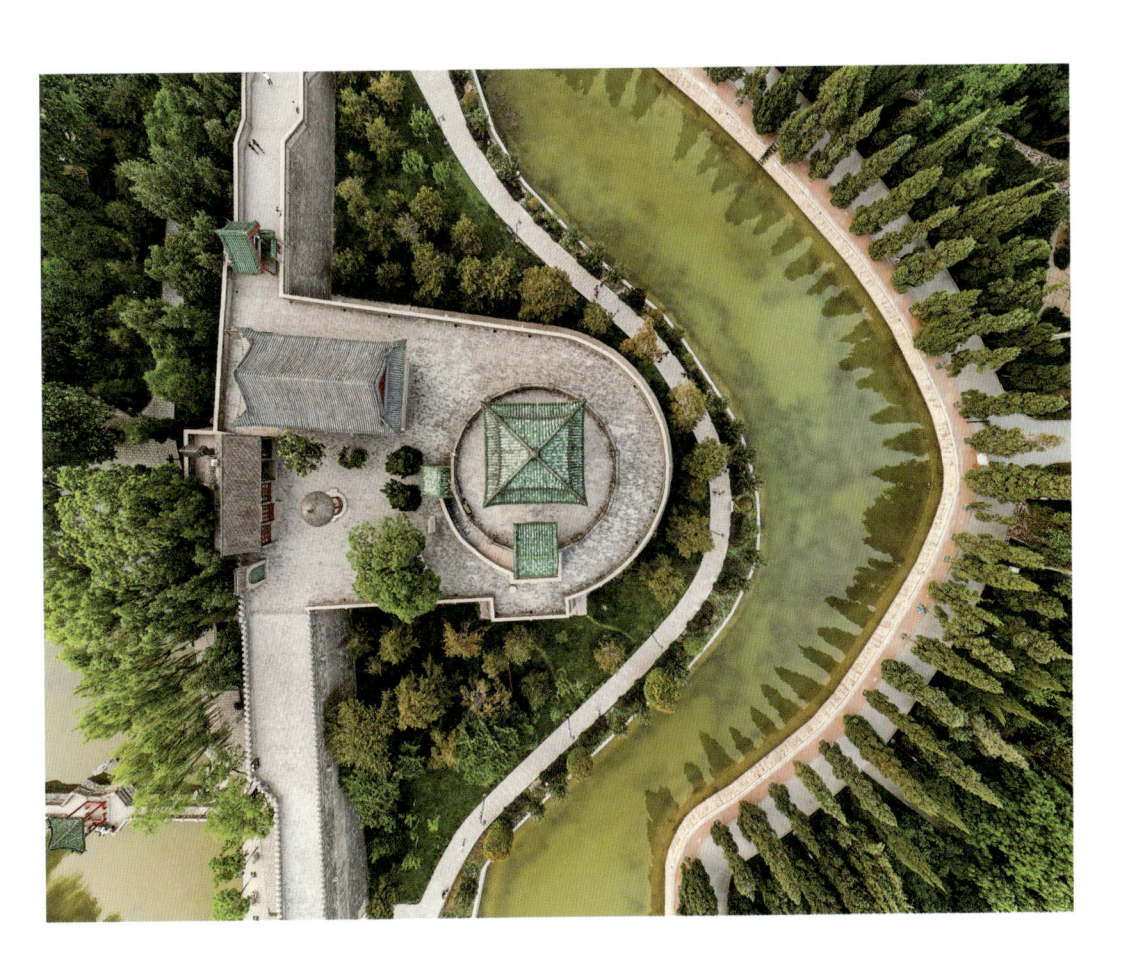

英谈古寨

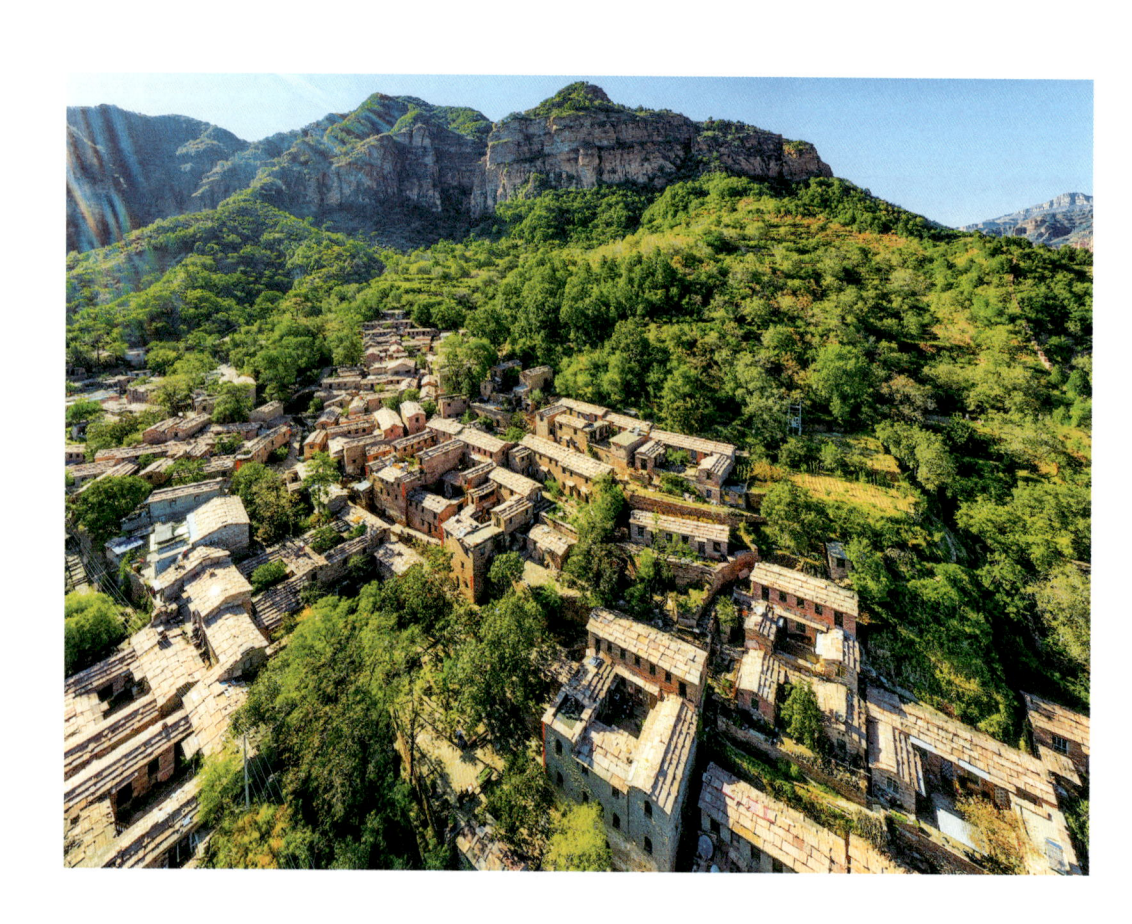

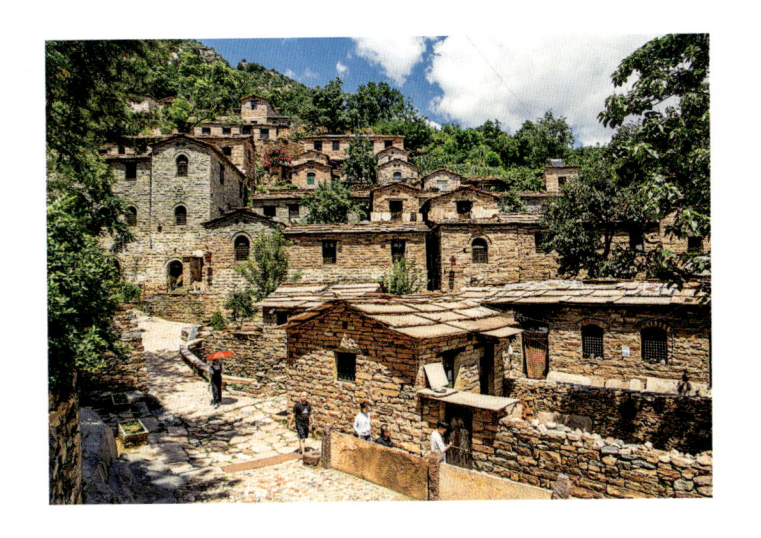

◎ 左页图　英谈古寨／冯婷玉　摄
◎ 上图　英谈古寨／黄志坤　摄

　　英谈村位于邢台市信都区西部太行山深山区，此村被太行山雾子垴、和尚垴紧紧包围，有万亩山场古树参天，枝繁叶茂。该村自然环境独特，依山傍水，风景秀美，历史文化底蕴深厚。村子有东、西、南三个寨门，北依太行山为天然屏障。全村都是用石头建成，有"石头村"的美誉，是河北省目前发现保存最完好的石寨。

鸡鸣驿

◎ 下图　鸡鸣驿全景图／视觉中国　供图
◎ 右页上图　鸡鸣驿财神庙／视觉中国　供图
◎ 右页下图　鸡鸣驿城楼／视觉中国　供图

鸡鸣驿，又名鸡鸣山驿，位于怀来县鸡鸣驿乡鸡鸣驿村，是我国现存最大的古驿城。它始建于元代，明代重新扩建，是历史上宣化府进京的第一驿站。城墙表层是砖砌的，里层是夯土，四周均匀分布着四个角台。城内建筑分布有序，有古代遗留的商店和民居。

龙泉古镇

龙泉古镇，位于石家庄市鹿泉区。其占地面积巨大，是由成套老房子、老门、老桥、老石刻等老物件异地重组复建而成的大型明清、民国古建筑集群，古色古香，典雅精巧。古镇四面环水，内有一条很长的水体。夜里，岸上酒馆铺面前的大红灯笼高悬，映月河荷花十里，江南风情韵味十足。

◎ 右页上左图　龙泉古镇望景楼／视觉中国　供图
◎ 右页上右图　龙泉古镇／吕晓飞　摄
◎ 右页下图　龙泉古镇门楼／视觉中国　供图

冀景撷英 185 第五单元

广府古城

广府古城,位于邯郸市永年区,是中国历史文化名镇,距今已有两千六百多年的历史。因其明清时期曾为冀南三府之一的广平府治所,故称为"广府"。广府古城由于兴建于元明清时期的古城墙保存完好,所以又被称为"被遗忘的神秘古城"。广府古城还是世界夏令营基地之一。

◎ 左页左图　广府古城太极宗师杨露禅雕像／视觉中国　供图
◎ 左页右图　广府古城武禹襄故居／视觉中国　供图
◎ 上图　广府古城／视觉中国　供图
◎ 下图　广府古城城墙／赵广林　摄

直隶总督署

◎ 左页上左图　直隶总督署博物馆/视觉中国　供图
◎ 左页上右图　直隶总督署议事厅蜡像/视觉中国　供图
◎ 左页下图　直隶总督署《兵技指掌图说》影壁/视觉中国　供图
◎ 上图　直隶总督署公生明牌楼/视觉中国　供图

　　直隶总督署，位于保定市，是清代直隶总督的办公处所，直隶省的最高军政机关，我国现存的唯一一座最完整的清代省级衙署。它始建于明洪武年间，初为保定府署，永乐年间为大宁都司衙署，民国年间是直系军阀曹锟的大本营，抗日战争和解放战争期间曾是日伪和国民党河北省政府所在地，有"一座总督衙署，半部清史写照"之称。

娲皇宫

◎ 下图　娲皇宫钟鼓楼／视觉中国　供图
◎ 右页左图　娲皇宫女娲雕像／视觉中国　供图
◎ 右页右图　娲皇宫娲皇阁／视觉中国　供图

娲皇宫，位于邯郸市涉县中皇山上，为中国神话传说女娲娘娘炼石补天、抟土造人之地。它始建于北齐，初为北齐文宣帝高洋所建离宫，初开三石室，雕数尊神像。每年农历三月初一至三月十八为女娲诞辰，是时多地的人前来祭拜华夏族人文先始。娲皇宫是中国规模最大、肇建时间最早、影响地域最广的奉祀女娲的历史文化遗存，被誉为"华夏祖庙"。

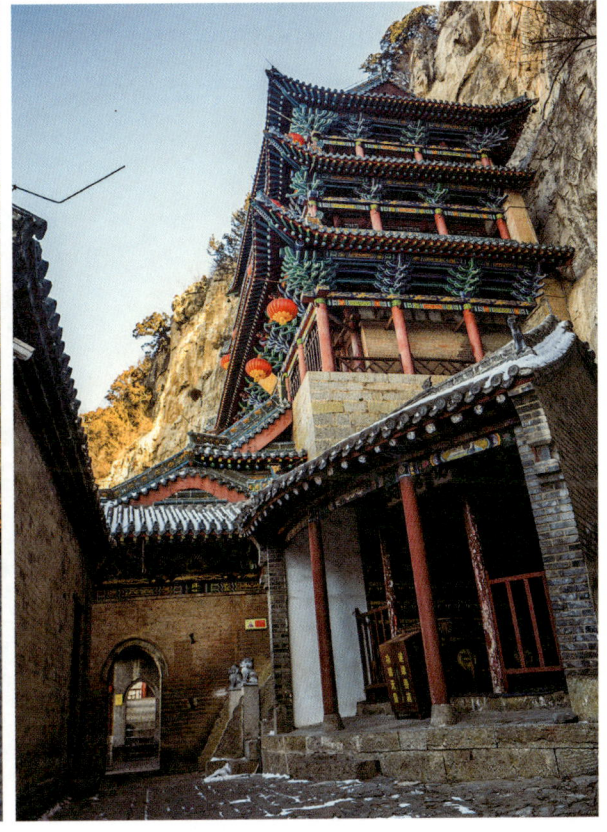

扁鹊庙

扁鹊庙，位于邢台市内丘县，始建于战国时期，在全国扁鹊庙群中，建筑面积最大、建筑年代最久。其占地四万五千平方米，由二十七个建筑组成，顺中轴线分布，按天、地、人三才布局，主要建筑有回生桥、山门、碑楼、献殿、药王庙等，年接待游客超过五十万人次。2006年被国务院核定为第六批全国重点文物保护单位，扁鹊庙会（内丘扁鹊祭祀）被定为河北省第一批非物质文化遗产。

◎ 右页上图　扁鹊庙扁鹊祠／视觉中国　供图
◎ 右页中左图　扁鹊庙玉皇殿／视觉中国　供图
◎ 右页中右图　扁鹊庙老君殿／视觉中国　供图
◎ 右页下图　扁鹊庙扁鹊墓／视觉中国　供图

冀景撷英 第五单元

N